世界の中心で、愛をさけぶ　片山恭一

第一章

1

朝、目が覚めると泣いていた。いつものことだ。悲しいのかどうかさえ、もうわからない。涙と一緒に、感情はどこかへ流れていった。しばらく布団のなかでぼんやりしていると、母がやって来て、「そろそろ起きなさい」と言った。

雪は降っていなかったが、道路は凍結して白っぽくなっていた。半分くらいの車はチェーンを付けて走っている。父が運転する車の助手席に、アキの父親が坐《すわ》った。アキの母親とぼくは後部座席に乗り込んだ。車が動きだした。運転席と助手席の男たちは、雪の話ばかりしている。搭乗時間までに空港に着けるだろうか。飛行機は予定通りに飛ぶだろうか。後部座席の二人はほとんど喋《しゃべ》らない。ぼくは車の窓から、通りすぎていく景色をぼんやり眺めていた。道の両側に広がる田畑は、見渡すかぎりの雪野原だった。雲のあいだから射《さ》す太陽の光が、遠い山の稜線《りょうせん》をきらめかせた。アキの母親は、遺骨の入った小さな壺《つぼ》を膝《ひざ》に抱いている。

峠に差しかかると雪が深くなった。父親たちはドライブインに車を停《と》めて、タイヤにチェーンを巻きはじめた。そのあいだに近くを歩いてみることにした。駐車場の向こうは雑木林だった。踏み荒らされていない雪が下草を覆い、木々の梢《こずえ》に降り積もった雪が、ときどき乾いた音をたてて地面に落ちた。後ろを振り返ると、ガードレールの彼方《かなた》に冬の海が見えた。穏やかに凪《な》いだ、真っ青な海だった。何を見ても、懐かしい思い出に吸い寄せられそうになる。ぼくは心に固く蓋《ふた》をして、海に背を向ける。

林の雪は深かった。折れた枝や、固い切り株のようなものがあって、思ったよりも歩きにくい。突然、林のなかから、一羽の野鳥が鋭い声を発して飛び立った。立ち止まり、物音に耳を澄ませた。静かだった。まるでこの世界から、誰《だれ》もいなくなってしまったみたいだった。目を閉じると、近くの国道を走る車のチェーンが、鈴の音のように聞こえた。ここはどこなのか、自分が誰なのか、わからなくなりかけた。そのとき駐車場の方から、父がぼくを呼ぶ声が聞こえてきた。

峠を越えたあとは順調だった。車は予定通り空港に到着し、ぼくたちは搭乗手続きを終えてゲートに進んだ。

「よろしくお願いします」父がアキの両親に言った。

「こちらこそ」アキの父親はにこやかに答えた。「朔太郎《さくたろう》くんに一緒に来てもらって、アキも喜んでいると思います」

ぼくはアキの母親が抱えている小さな壺に目をやった。美しい錦織《にしきおり》の袋にくるまれた壺、そのなかに本当にアキはいるのだろうか。

飛行機が飛び立つと、ほどなく眠りに落ちた。そして夢を見た。まだ元気だったころのアキの夢だ。夢のなかで彼女は笑っている。あのいつもの、ちょっと困ったような笑顔で。「朔ちゃん」と、ぼくのことを呼ぶ。その声も、はっきり耳に残っている。夢が現実で、この現実が夢ならいいと思う。でも、そんなことはありえない。だから目が覚めたとき、ぼくはいつも泣いている。悲しいからではない。楽しい夢から悲しい現実に戻ってくるときに、跨《また》ぎ越さなくてはならない亀裂《きれつ》があり、涙を流さずに、そこを越えることができない。何度やってもだめなのだ。

飛び立ったところは雪景色だったのに、降り立ったところは真夏の太陽が照りつける観光都市だった。ケアンズ。太平洋に面した美しい街。椰子《やし》の木が繁《しげ》るプロムナード。湾に面して建つ高級ホテルのまわりには、むせかえるような熱帯植物の緑が溢《あふ》れ、桟橋には大小のクルーズ船が係留されている。ホテルへ向かうタクシーは、海岸沿いの芝生の横を走った。たくさんの人たちが、夕暮れの散歩を楽しんでいた。

「ハワイのようね」アキの母親が言った。

ぼくには呪《のろ》われた街に思える。何もかも、四ヵ月前と同じだ。四ヵ月のあいだに季節は進み、オーストラリアでは春のはじめが夏の盛りになった。それだけだ。ただ、それだけのことなのだけれど。

ホテルに一泊して、翌日の午前の便で出発することになっていた。時差はほとんどないので、日本を出たときの時間が、そのまま流れている。夕食のあと、自分の部屋のベッドに寝ころび、天井を見上げてぼんやりしていた。そしてアキはいないのだ、と自分に言い聞かせた。

四ヵ月前に来たときも、アキはいなかった。彼女を日本に残して、ぼくたちは高校の修学旅行でここにやって来た。オーストラリアに近い日本の街から、日本に近いオーストラリアの街へ。このルートだと、飛行機は燃料補給のために、途中でどこかの空港に立ち寄る必要がない。奇妙な理由によって、人生のなかに入り込んできた街。美しい街だと思った。何を見ても物珍しく、奇妙で新鮮だった。それはぼくが見るものを、アキが一緒に見ていたからだ。でも、いまはどんなものを見ても、何も感じない。ぼくはいったいここで、何を見ればいいのだろう。

そういうことだ、アキがいなくなるということは。彼女を失うということは。ぼくには、見るものが何もなくなってしまった。オーストラリアでもアラスカでも、地中海でも南氷洋でも。世界中どこへ行こうと同じことだ。どんな雄大な景色にも心は動かないし、どんな美しい光景も、ぼくを楽しませない。見ること、知ること、感じること……生きることに動機を与えてくれる人がいなくなってしまった。彼女はもうぼくと一緒に生きてはくれないから。

ほんの四ヵ月、季節が一つめぐるあいだの出来事だった。呆気《あつけ》なく、一人の女の子がこの世界から消えてしまったのは。六十億の人類から見れば、きっと些細《ささい》なことだ。でも六十億の人類という場所に、ぼくはいない。ぼくがいるのは、たった一つの死が、あらゆる感情を洗い流してしまうような場所だ。そういう場所に、ぼくはいる。何も見ない、何も聞かない、何も感じないぼくがいる。でも本当に、そこにいるのだろうか。いないとしたら、どこにいるのだろう。

2

アキとは中学二年生のときに、はじめて同じクラスになった。それまでぼくは彼女の顔も名前も知らなかった。気まぐれな偶然から、ぼくたちは九つもあるなかの同じクラスに編入され、担任から男女の学級委員に任命された。学級委員としての最初の仕事は、新学期になってすぐに足を骨折した大木《おおき》というクラスメートを、入院している病院にクラスの代表として見舞うことだった。途中、担任とクラスの全員から集めたお金で、クッキーと花を買った。

大木は足に大袈裟《おおげさ》なギプスをはめられて、ベッドの上にひっくり返っていた。始業式の翌日に入院してしまったこの級友のことを、ぼくはほとんど知らなかった。それで病人との会話は、一年生のときも彼と同じクラスだったアキに任せて、四階にある病室の窓から街を眺めていた。バス通りに沿って花屋や果物屋や菓子屋などが並び、こぢんまりした商店街を形作っている。それらの街並みの向こうに城山が見えた。新緑の木々のあいだから、白い天守閣がわずかに顔を覗《のぞ》かせている。

「松本《まつもと》はさあ、下の名前、朔太郎っていうんだろう」それまでアキと話していた大木が、突然話しかけてきた。

「そうだけど」ぼくは窓辺から振り返った。

「こういうのってたまんないよな」と彼は言った。

「何がたまんないんだよ」

「だって朔太郎って、萩原《はぎわら》朔太郎の朔太郎だろう」

ぼくは答えなかった。

「おれの下の名前、知ってる?」

「龍之介《りゆうのすけ》だろう」

「そう。芥川《あくたがわ》龍之介」

ようやく大木の言わんとするところがわかった。

「親が文学かぶれだったんだね、お互いに」彼は満足そうに頷《うなず》いた。

「うちの場合はおじいちゃんだけどね」とぼくは言った。

「おまえのじいちゃんがつけたのか」

「ああ、そうだよ」

「迷惑な話だよな」

「でも龍之介でまだよかったじゃないか」

「どうして」

「金之助《きんのすけ》とかだったらどうするんだよ」

「なんだ、それは」

「夏目漱石《なつめそうせき》の本名だよ」

「へえ、知らなかった」

「もしおまえの両親の愛読書が『こゝろ』とかだったら、いまごろおまえは大木金之助だぞ」

「まさか」彼はおかしそうに笑いながら、「いくらなんでも息子に金之助なんて名前はつけないよ」

「たとえばの話だよ」とぼくは言った。「仮におまえが大木金之助だったとするよな。そしたらおまえは学校中の笑いものだ」

大木はちょっと浮かない顔になった。ぼくはつづけた。

「おまえは自分にこんな名前をつけた親を恨んで家を飛び出すだろう。そしてプロレスラーになるんだ」

「なんでプロレスラーなんだよ」

「大木金之助なんて、プロレスラーにでもなるしかなさそうな名前じゃないか」

「そうかな」

アキは持ってきた花を花瓶に活けていた。ぼくと大木はクッキーの箱をあけて食べながら、しばらく文学かぶれの親の話などをつづけた。帰るときに、大木は「また来てくれよな」と言った。

「一日寝とくのは退屈だからさ」

「そのうちクラスの連中が交替で勉強を教えにくるよ」

「そういうことはしてくれなくていいんだけど」

「佐々木さんたちも協力するって言ってたわよ」アキはクラスでも美少女の誉れ高い女の

子の名前をあげた。

「いいな、大木は」ぼくがからかうと、

「おおきなお世話だ」と面白くもない洒落《しゃれ》を言って、一人で笑った。


病院の帰りに、ぼくはふと思いついて、城山に登ってみないかとアキを誘った。部活に顔を出すには遅すぎるし、真っ直《ます》ぐ家に帰っても、夕食まではまだ時間がある。彼女は「いいわよ」と言って、気軽に付いてきた。城山の登り口は北側と南側に二箇所ある。ぼくたちが登りはじめたのは南側だった。北側を正門とすれば、こちらは裏門にあたるため、道は細く険しく、登山者も少ない。途中に公園があり、そこで二つの登山道が合流するようになっている。ぼくたちは話らしい話もせずに、ゆっくり山道を登っていった。

「松本くんて、ロックとか聴くんでしょう」横を歩いているアキがたずねた。

「うん」ぼくはちらりと振り向いた。「どうして?」

「一年生のときから、友だちとよくCDの貸し借りしているのを見かけてたから」

「広瀬《ひろせ》は聴かないのか」

「わたしはダメ。頭のなかがぐちゃぐちゃになっちゃう」

「ロックを聴くと?」

「そう。給食のカレー・ビーンズみたいになっちゃうの」

「ふーん」

「松本くん、部活は剣道よね」

「ああ」

「今日は練習行かなくていいの?」

「顧問の先生に休部届けを出してきた」

アキはしばらく考えて、「でも変よね」と言った。

「部活で剣道やってる人が、家ではロックを聴いてるなんて。なんかイメージがぜんぜん違うもん」

「剣道で相手の面やなんかを打つとスカッとするだろう。だからロックを聴くのと同じだよ」

「いつもはスカッとしてないの?」

「広瀬はスカッとしてるのかよ」

「スカッとするっていうのが、わたしにはよくわからないけど」

ぼくにもよくわからないけど。

そのときは二人とも、中学生の男女として節度ある距離を保ちながら歩いていた。にもかかわらず彼女の髪からは、シャンプーというかリンスというか、ほんのり甘い匂《にお》いが漂ってきた。鼻のもげるような防具の匂いとは、えらい違いだ。こういう匂いを年がら年中身にまとって生きていると、ロックを聴いたり竹刀で人を叩《たた》いたりという気分にはならないのかもしれない。

登っていく石段は角が丸くなり、ところどころ緑色の苔《こけ》が生えていた。石の埋まっている地面は赤土で、一年中湿っているように見える。突然、アキが足を止めた。

「アジサイだ」

見ると山道と右手の崖《がけ》のあいだに、一群のアジサイが葉を繁らせていた。すでに十円玉くらいの花の赤ちゃんをたくさんつけている。

「わたし、アジサイの花って好き」彼女はうっとりした表情で言った。「花が咲いたら一緒に見にこない？」

「いいけど」ぼくはちょっとあせって、「とにかく上まで登ろうぜ」と言った。

3

ぼくの家は市立図書館の敷地内にある。本館に隣接した二階建ての白い洋館は、ほとんど鹿鳴館《ろくめいかん》か大正デモクラシーかという代物だ。真面目《まじめ》な話、この建物は市の文化財に指定されていて、居住者は勝手に改修工事などをしてはならないことになっている。文化財と言えば有り難そうだが、住んでいる方としては、有り難くもなんともない。現に祖父などは、年寄りには住みにくい家だとか言って、一人でさっさと中古マンションに移ってしまった。年寄りに住みにくい家は、老若男女を問わず住みにくいにきまっている。こういう酔狂は父の宿病みたいなもので、ぼくの見るところ、母もかなりこの病気に侵されていた。子供にとってはいい迷惑だ。

どういう事情で、一家がこの家に住むようになったのか知らない。父の酔狂を別にすれば、きっと母が図書館に勤めていることと関係があるのだろう。それとも昔なんとか議員をしていた祖父の手づるによるものなのか。どっちにしても、この家にまつわる忌まわしい過去など知りたくもないので、わざわざたずねてみたことはない。家と図書館のあいだは、最短で三メートルほどしかない。そのため二階にあるぼくの部屋からは、窓際の机に坐っている人の本が一緒に読める、というのは嘘《うそ》だけど。

こう見えてもぼくは孝行息子なので、中学に入ったころから、ときどき部活の暇なときに母の手伝いをすることがあった。たとえば土曜の午後や日祭日など、利用者の多い日は、貸出カウンターで本のバーコードをコンピュータに入力したり、返却された本をワゴンに積んでもとの本棚に戻しにいったり、『銀河鉄道の夜』のジョバンニなみの勤勉さなのである。もちろん母子家庭ではないし、ボランティアをやっているわけでもないから、日当はもらう。もらったお金は、ほとんどがＣＤ代になった。

ぼくとアキとは、その後も男女の学級委員として、過不足のない関係をつづけていた。一緒にいる機会は多かったが、とくに異性として意識したことはなかった。むしろ近すぎる距離のために、アキの魅力に気づかなかったのかもしれない。そこそこに可愛《かわい》くて性格が良く、勉強もできる彼女のファンは、クラスの男子のなかにもたくさんいた。そしてぼくはいつのまにか、彼らの妬《ねた》みと反感を買うことになっていた。たとえば体育の時間にバスケットやサッカーをすると、かならず意図的にぶつかってきたり、足を蹴飛《けと》ばしたりするやつがいる。あからさまな暴力ではないが、相手の悪意はちゃんと伝わってくる。最初のうちは理由がわからなかった。ただぼくを嫌っているやつがいる。なぜか自分は嫌われていると思うと、それなりに傷ついた。

長いあいだの気がかりは、つまらない事件によって呆気なく氷解した。二学期の文化祭で、二年生はクラスごとに劇をしなければならない。ホームルームの時間に投票をした結果、女子の組織票がものを言って、うちのクラスは『ロミオとジュリエット』をやることになった。そしてジュリエット役は、結束した女子の推薦によってアキが、ロミオ役は、誰もやりたがらないことは学級委員がやるという不文律に従ってぼくが、それぞれ演ずることになった。

女子主導のもと、練習は和気あいあいとした雰囲気のなかで進んだ。窓辺のシーンでジュリエットが、「ロミオ、ロミオ、なぜあなたはロミオなの。お父上に背き、その名を捨ててください。それができないなら、せめて愛の誓いを……」と告白する場面は、もともと真面目なアキが真面目に演じる可笑《おか》しさがあったし、特別出演の女校長を乳母役にして、「間違いございません。生娘だったわたしの十二の歳《とし》にかけて誓います」という、原文どおりの台詞《せりふ》を言わせるところは、全員が爆笑だった。ジュリエットの寝室で二人が朝を迎え、「外が明るくなれば、二人の心は暗くなるのだ」とロミオが呟《つぶや》いて立ち去る場面には、ちゃんとキス・シーンが設けてあった。引き止めるジュリエット、後ろ髪を引かれるロミオ、二人は互いに見つめ合い、バルコニーの手摺《てすり》を隔ててキスをする。

「おまえ、広瀬とあんまりいちゃいちゃすんなよな」と彼は言った。

「ちょっと勉強ができるからと思って、いい気になんな」別のやつが言った。

「なんのことだよ」とぼくは言った。

「うるさい」一人がいきなり腹を殴った。

ただ威嚇するだけのような殴り方だったし、こちらも反射的に力をこめたので、ダメージはほとんどなかった。二人はそれで気が済んだのか、不意に踵《きびす》を返すと、肩を怒らせるようにして去っていった。ぼくはというと、屈辱よりも、むしろ長く気にかかっていた不安が取り払われたような爽快《そうかい》さを感じていた。アルカリ性に反応した赤いフェノールフタレイン溶液に、酸性の液体を適量加えると、中和反応が起こって水溶液が透明になる。そんなふうにして、世界が清明に澄み渡った。思いがけずもたらされた答えを、もう一度胸のなかで反芻《はんすう》してみた。あいつら、ぼくに嫉妬《しっと》してたんだ。いつもアキと一緒にいるもんだから、目の敵にしていたんだ。

当のアキには、高校生の恋人がいるという噂《うわさ》だった。真相を確かめたわけではないし、本人から直接聞いたわけでもない。ただクラスの女の子たちが話しているのが、それとなく耳に入ってきた。なんでも相手はバレーボールをやっている、背の高い美形だという。ふざけやがって、男は剣道だよ、剣道、とぼくは思った。

そのころアキは、ラジオを聴きながら勉強するのが習慣になっていた。彼女が好んで聴いている番組も知っていた。何度か聴いたことがあるので、おおよその勝手はわかっている。つまりＩＱの低そうな男と女が葉書を出し合って、巻き舌のディスクジョッキーに読んでもらって喜ぶという趣向だ。ぼくは生まれてはじめてのリクエスト葉書というものを、アキのために書いた。どうしてそんなことをしたのかわからない。高校生とつき合っている彼女への当てつけだったのかもしれない。アキのせいで被《こうむ》った迷惑にたいする腹いせも、多少はあっただろう。そして何よりも、まだ自覚されていない恋心が伏線になっていたと思われる。

その日はクリスマス・イブで、番組では「聖夜の恋人たちのためのリクエスト特集」などという、身の毛のよだつような企画が組まれていた。当然、競争率はいつにも増して高いことが予想される。葉書が確実に読まれるためには、よほど彼らの心をつかむ内容でなければならない。

――ではつぎのお葉書を紹介しましょう。ラジオ・ネーム、二年四組のロミオさんから。

「今日はぼくのクラスのA・Hのことを書きたいと思います。彼女は髪の長い、物静かな女の子です。顔は風の谷のナウシカを少し虚弱にしたような感じで、性格は明るく、ずっとクラス委員をしていました。十一月の文化祭では、クラスで『ロミオとジュリエット』の劇をやることになり、彼女はジュリエット、ぼくはロミオの役をすることになっていたのです。ところが練習のはじまったころから、彼女は体調を崩して学校を休みがちになりました。仕方がないので代役を立てて、ぼくは別の女の子と『ロミオとジュリエット』を演じました。その後わかったことですが、彼女は白血病でした。いまも入院して治療をつづけています。見舞いにいったクラスメートの話では、長かった髪は薬のためにすっかり抜け落ち、かつての面影がないくらい痩《や》せてしまっているということです。このクリスマス・イブも、彼女は病院のベッドで過ごしていることでしょう。ひょっとするとラジオで番組を聴いているかもしれません。文化祭でジュリエットを演じることのできなかった彼女のために、ウェスト・サイド・ストーリーの『トゥナイト』をお願いします」

「何よ、あれ」翌日、アキは学校でぼくをつかまえて言った。「昨日のリクエスト、松本くんでしょう?」

「なんのこと」

「とぼけたってだめ。二年四組のロミオだなんて……白血病ですって？　髪が抜けて、昔の面影がないくらい痩せこけてるなんて、よくそういう嘘を思いつくわね」

「最初はちゃんと褒めたじゃないか」

「虚弱なナウシカね」彼女は大きなため息をついた。「ねえ、松本くん。わたしのことをいろいろ書くのはかまわないの。でも世の中には、実際に病気で苦しんでいる人たちがいるわけでしょう。たとえ冗談にしても、そういう人たちをネタにして同情を買うのは、わたし嫌いよ」

ぼくはアキの分別臭い言い方に反発を感じた。しかしそれ以上に、彼女の腹立ちに好感をもった。胸のなかを涼しい風が吹き抜けていくような気がした。それはアキにたいする好ましさとともに、はじめて彼女のことを異性として見ている、自分自身にたいする満足感が運んでくる風のようでもあった。

4

中学三年生では、また別のクラスになった。しかしあいかわらず二人とも学級委員をやっていたため、放課後の委員会などで、週に一度くらいは顔を合わせる機会があった。そのうえ一学期の終わりごろから、アキはちょくちょく図書館に勉強しに来るようになった。夏休みに入ってからは、ほとんど毎日のようにやって来た。ぼくも市大会が終わったあとは部活がないので、これまで以上に図書館での日当稼ぎに精を出すようになった。また高校入試に備えて、午前中は冷房の入った閲覧室で勉強するようにしていた。おのずと顔を合わせる機会は増え、そういうときは一緒に勉強したり、休憩時間にアイスクリームを食べながら話をしたりすることになる。

「なんか緊張感がないよな」ぼくは言った。「夏休みだというのに、ちっとも勉強に身が入らない」

「松本くんはそんなに頑張らなくても、もう安全圏なんでしょう」

「そういう問題じゃないわけね。このあいだ『ニュートン』で読んだんだけど、西暦二千年ごろに小惑星が地球に激突して、生態系がめちゃくちゃになってしまうんだってさ」

「ふーん」アキはアイスクリームを舌の先でなめながら間抜けな相槌《あいづち》を打った。

「ふーん、じゃないでしょ」ぼくは真剣な顔で、「オゾン層は年々破壊されつづけているし、熱帯雨林も減少しているし、このままいくとぼくたちがおじいさんやおばあさんになるころには、地球上に生物が棲《す》めなくなってしまうんだよ」

「大変ね」

「大変ねって、ちっとも大変そうじゃないね」

「ごめん」と彼女は言った。「なんだか実感がわかないのよね。松本くんは、そういうの実感ある?」

「そうあらたまられると」

「ないでしょう?」

「いくら実感がなくたって、いつかそういう日が来るよ」

「それならそれでいいじゃない」

アキに言われると、それならそれでいいような気もした。

「ずっと先のことを、いまから考えてもしょうがないわ」

「十年後のことなんだけど」

「わたしたち二十五歳ね」アキは遠い目をして、「でも、それまでにどうなるかわからないもの、松本くんもわたしも」

ぼくはふと、城山のアジサイのことを思い出した。あれから二回は咲いたはずだけれど、まだ二人で見にいったことはなかった。毎日いろいろなことが起こるので、アジサイの花のことなどすっかり忘れてしまっていた。アキもきっとそうだったと思う。そして小惑星の激突だのオゾン層の破壊だの言っても、西暦二千年の初夏にも、やはり城山のアジサイは咲いているような気がした。だから慌てて見にいかなくても、その気になればいつでも見られるだろうと。

そんなふうにして夏休みは過ぎていった。ぼくはあいかわらず地球環境の未来を憂《うれ》えながら、「ゲルマン民族皆殺し」とか「一路世に出るクロムウェル」なんて覚えたり、連立方程式や二次関数の問題を解いたりしていた。ときどき父と釣りに行った。新しいCDを買った。そしてアキとアイスクリームを食べながらお喋りをした。

「朔ちゃん」と彼女からいきなり呼ばれたとき、口のなかで溶かしていたアイスクリームを、誤って呑《の》み込んでしまった。

「なんだよ、藪《やぶ》から棒に」

「松本くんのお母さん、松本くんのことをいつもそう呼んでるでしょう」アキはにこにこしながら言った。

「きみはぼくのお母さんじゃないでしょう」

「でも決めたの。わたしも今日から松本くんのこと、朔ちゃんて呼ぶ」

「そういうことを勝手に決めないでくれる?」

「もう決めたの」

そうやってアキはぼくのことをなんでもかんでも決めていくので、ついにぼくは自分が何者なのか、よくわからなくなってしまったのである。

二学期がはじまってまもないころ、彼女は昼休みに突然一冊のノートを持ってぼくの前に現れた。

「はい、これ」彼女は机の上にノートを差し出して言った。

「なに、これ」

「交換日記」

「ほう」

「朔ちゃん、知らないんでしょう」

ぼくはあたりに目を配りながら、「学校ではそれ、やめてくれる?」

「朔ちゃんのご両親はされなかったのかしら」

いったい彼女はぼくの言うことを聞いているのだろうか。

「これはね、男の子と女の子が、その日の出来事や、思ったこと感じたことをノートに書いて、交換し合うの」

「そういう面倒くさいこと、おれはだめだよ。クラスに誰か適当なやついないのか」

「誰でもいいってもんじゃないでしょう」

アキはちょっと怒ったようだった。

「しかしこういうのって、やっぱりボールペンや万年筆で書くわけだろう」

「あと色鉛筆とか」

「電話じゃだめなの?」

だめらしい。彼女は腰の後ろで手を組んで、ぼくの顔とノートを交互に見くらべている。何気なくページを開こうとすると、アキはあわてて押しとどめた。

「家に帰ってから読んで。それが交換日記のルールなんだから」

最初のページは自己紹介だった。生年月日、星座、血液型、趣味、好きな食べ物、好きな色、自分の性格にかんする分析。隣のページには、本人らしい女の子が色鉛筆で描いてあり、スリー・サイズのところに「秘密」「秘密」「秘密」と書き込まれている。ぼくはノートを開いたまま、「たまらんな」と呟いた。


中学三年生のクリスマスに、アキのクラス担任だった女の先生が亡くなった。一学期の修学旅行には元気に参加していたのに、二学期のはじめからずっと学校を休むようになった。具合が悪いという話は、アキからときどき聞かされていた。癌《がん》だったらしい。まだ五十歳になるかならないかの年齢だった。終業式の翌日が葬式で、アキのクラスの生徒全員と、三年生の男女の学級委員が参列した。生徒は本堂には入りきらないので、境内に立ったままで告別式に臨んだ。底冷えのする寒い日だった。お坊さんたちの読経《どきょう》は永遠につづくのではないかと思われた。ぼくたちは押しくらまんじゅうをしながら、厳寒の境内で凍死するまいと努めた。

ようやく葬儀が終わって告別式がはじまり、校長をはじめ何人かが弔辞を述べた。そのうちの一人がアキだった。ぼくたちは押しくらまんじゅうをやめて耳を傾けた。彼女は落ちついた声で弔辞を読み進んだ。途中で涙声になることもない。もちろんぼくたちが聞いたのは、彼女の肉声ではなく、スピーカーを通して境内に流れる、きわめてSN比の悪い音声だった。しかしそれがアキの声であることはすぐにわかった。ただ憂いを帯びているぶん、普段よりも大人びて聞こえた。いつまでも幼稚なぼくたちを置いて、彼女一人が先へ行ってしまうような、ちょっと寂しい気持ちになった。

焦りにも似た思いにかられ、居並ぶ会葬者の頭の向こうにアキの姿を捜した。前後左右に場所を移動して、ようやく本堂の入口に設けられたスタンド・マイクの前で、少しうつむき加減に弔辞を読むアキの姿を視界にとらえた。その瞬間、目の覚めるような思いにとらわれた。見慣れたセーラー服に身を包んでいる彼女が、ここからだとまるで別人のように見えた。いや、それはたしかにアキなのだけれど、何かが決定的に違っていた。読み上げられる弔辞の内容は、ほとんど耳に入らなかった。ぼくは遠くに見える彼女の姿から目が離せなくなった。

「さすがは広瀬だな」近くに立っている誰かが言った。

「あいつ顔に似合わず、度胸がすわってるからな」別の誰かが同調した。

そのとき空を覆っていた厚い雲が裂けて、境内に明るい光が射した。光は弔辞を読みつづけているアキにも当たり、彼女の立ち姿を、暗い本堂の陰からくっきり浮かび上がらせた。ああ、これが自分の知っているアキだったのだ。他愛のない日記を交換しているアキ、ぼくのことを幼なじみのように「朔ちゃん」と呼ぶアキ。いつも身近すぎて、そのためにかえって透明な存在だった彼女が、いま大人になりかけた一人の女として立っていた。まるで机の上に放《ほう》り出しておいた鉱物の結晶が、眺める角度によって、突然美しい光彩を発しはじめたかのようだった。

不意に駆けだしたい衝動にとらわれた。身体のなかに溢れる歓《よろこ》びとともに、ぼくははじめて、彼女に思いを寄せる男子生徒の一人として、自分を意識した。級友たちの垣間《かいま》見せた嫉妬を、わが身に引きつけて理解することができた。そればかりか、いまやぼくは自分自身にさえ嫉妬していた。なんの苦もなくアキとともにいる幸運に恵まれてきた自分に、無造作に彼女と親密な時間を過ごしてきた自分に、胸の奥が酸っぱくなるような妬ましさをおぼえていた。

5

中学校を卒業したぼくたちは、高校で再び一緒のクラスになった。そのころには、アキにたいする恋愛感情は偽《いつわ》りようのないものになっていた。彼女に恋をしていることは、ぼくがぼくであることと同じくらい自明な事柄だった。もし誰かに、「おまえ、広瀬が好きなんだろう」と言われたら、「何をいまさら」と白々しい気分になったに違いない。ホームルーム以外の授業の席は自由だったので、いつも机をくっつけて隣に坐った。さすがに高校になると、仲のいいカップルの親密な交際を、冷やかしたり妬んだりするクラスメートもいない。ぼくたちの存在は教室の黒板や花瓶と同じように、日常的な風景のなかに埋没しつつあった。むしろ教師たちの方が、「いつも仲がいいね」などと幼稚な干渉をしたがった。ぼくは「おかげさまで」と愛想よく答えながら、胸のなかで「大きなお世話だ」と不貞腐《ふてくさ》れた。

四月からはじまった『竹取物語』の講読は佳境に入っていた。月の使者から姫を守るために、帝《みかど》は翁《おきな》の屋敷のまわりを兵でかためる。しかし姫は連れ去られてしまう。あとに残されたのは、帝への手紙と不死の薬。だが帝は、姫のいない世界でいつまでも生きていたいとは思わない。そこで彼は薬を、月にもっとも近い山の頂で焼くように命ずる。富士の名の由来を語るくだりで、物語は静かに幕を閉じる。

作品の背景を説明する教師の話に耳を傾けながら、アキはテキストに目を落としたまま、いま読み終えたばかりの物語を胸のなかで反芻しているようだった。前髪が垂れて、形のいい鼻梁《びりよう》を覆っている。ぼくは半ば髪に隠れた彼女の耳を見た。また小さくめくれた唇を見た。どれもこれもが、けっして人間の手では引くことのできない微妙な線によって形づくられており、じっと眺めていると、それらがすべてアキという一人の少女に収《しゆう》斂《れん》していくことが、つくづく不思議な出来事に思えてくる。その美しい人が、ぼくのことを思ってくれている。

　突然、恐ろしい確信にとらわれた。どんなに長く生きても、いま以上の幸福は望めない。ぼくにできるのは、ただこの幸福を、いつまでも大切に保ちつづけていくことだけだ。自分が手にしている幸福が、空恐ろしいものに感じられた。もし一人一人に与えられた幸せの量が決まっているのだとすれば、この瞬間に、一生分の幸福を蕩尽《とうじん》しようとしているのかもしれなかった。いつか彼女は月の使者によって連れられてしまう。あとには不死のように長い時間だけが残される。

　気がつくとアキがぼくの方を見ていた。よほど深刻そうな顔をしていたのだろうか。彼女は微笑《ほほえ》みかけた表情をにわかに曇らせた。

「どうしたの？」

　ぼくはぎこちなく首を横に振った。

「なんでもない」

　授業が終わると、毎日一緒に帰宅した。学校から家までの道をできるだけゆっくり歩いた。ときには遠まわりをして時間を稼いだ。そんなふうにして帰っても、いつもあっと言う間に分かれ道まで来てしまう。不思議なことだ。同じ道を一人で歩くと、長く退屈に感じられるのに、二人でお喋りをしながらだと、いつまでも歩いていたいと思う。教科書や参考書を詰め込んだ鞄《かばん》の重さも苦にならない。

われわれの人生だってそうかもしれない、と何年もあとになってから思うことがあった。一人で生きる人生は、ただ長く、退屈なものに感じられる。ところが好きな人と一緒だと、あっと言う間に分かれ道まで来てしまうのである。

6

祖母が亡くなったあと、祖父はしばらくぼくの家で暮らしていたが、前にも書いたように、年寄りには住みにくい家だとか言って、一人でマンション暮らしをはじめた。もともと農家の出身で、祖父の父の代までは、かなり大きな地主だったらしい。しかし農地改革によって旧家は没落し、跡取りだった祖父は東京に出て実業界に身を投じた。敗戦後の混乱に乗じて金を作り、田舎に帰ると、三十歳そこそこで食品加工の会社を起こした。祖母と結婚して父が生まれた。母から聞いた話では、祖父の会社は高度経済成長の波に乗って順調に成長し、祖父たち一家は傍目《はため》にも裕福な暮らしをしていたという。ところが父が高校を卒業すると、せっかく大きくした会社をあっさり部下に譲り、自分は選挙に出て議員になった。以後十年余り議員時代がつづき、祖父の資産はあらかた選挙資金に消えた。祖母が亡くなったころには、家の他には財産らしい財産も残っていなかったという。ほどなく政界からも引退し、いまは一人で悠々自適の生活をしている。

ぼくは中学生のころから、ときどき慈善事業のつもりで祖父のマンションに出かけていって、学校生活の話をして聞かせたり、テレビで相撲を観《み》ながら一緒にビールを飲んだりしていた。ときには祖父の方も、若いころの話を聞かせてくれることがあった。十七か八のころ、祖父には好きな人がいたのだけれど、事情があって一緒になることができなかったという話も、そんな折りに出たものだった。

「その人は胸を病んでいてな」祖父はいつものようにボルドーの赤をちびりちびり飲みながら言った。「いまなら結核なんて、薬ですぐに治ってしまうが、当時は栄養のあるものを食べて、空気のいいところでじっと寝ているしかなかった。そのころの女というのは、よほど丈夫じゃないと、結婚生活には耐えられないとされたもんだ。電化製品なんてもののない時代だからね。炊事も洗濯も、いまでは考えられないくらい大変な重労働だった。おまけにわしは当時の若者たちの例にもれず、自分の命をお国のために捧《ささ》げるつもりだった。お互いに好き合っていても、とても結婚はできない。それは二人ともわかっていた。困難な時代だったのだよ」

「それでどうなったの」ぼくは缶コーヒーを飲みながらたずねた。

「わしは軍隊にとられて、何年間も兵営生活を余儀なくされた」祖父はつづけた。「二度と生きて会えるとは思わなかったよ。兵隊に行っているあいだに、その人は死んでしまうだろうと思っていたし、自分が生きて帰れるとも思わなかった。だから別れる間際に、せめてあの世で一緒になろうと誓い合ったんだ」祖父は言葉を置いて、遠くを見るように眼差しを彷徨《さまよ》わせた。「ところが運命というのは皮肉なもので、戦争が終わってみると、二人とも生き延びていた。未来がないと思えるときには、妙に潔くなれるものだが、命ある身と思えば、また欲が出てくる。わしはどうしても、その人と一緒になりたかった。だから金を作ろうと思った。金さえあれば、結核であろうがなんだろうが、その人を引き取って養うことができるからな」

「それで東京に出たんだね」

祖父は頷いて、「東京はまだほとんどが焦土だったよ」と話をつづけた。「食糧事情は最悪で、インフレも凄《すさ》まじかった。無法状態に近いなか、みんな栄養失調と紙一重のところで、殺気だった目をして生きていた。わしもなんとか金を作ろうと必死だった。恥知らずなこともたくさんした。人を殺したことはないが、それ以外ならほとんどのことはやった。ところが、わしがそうやってあくせく働いているあいだに、結核の特効薬が開発されてしまったんだ。ストレプトマイシンというやつだ」

「名前は聞いたことがある」

「それで彼女の病気は治ってしまった」

「治ったの？」

「まあ、病気が治ったことはいい。しかし病気が治るということは、嫁に行けるということだ。当然、親は娘を薹《とう》が立つ前に嫁にやろうとする」

「おじいちゃんは？」

「眼鏡にかなわなかった」

「どうして」

「やくざな商売に手を染めていたしな。刑務所に入ったこともあるんだ。向こうの親は、そのあたりのことも知っているようだった」

「でも、その人と一緒になるためだろう」

「こっちの理屈ではそうだが、向こうはそうは思わない。やっぱり娘には堅気の男をと考えるわけだ。たしか小学校の教師か何かをやっている男だった」

「ふざけた話だ」

「そういう時代だったんだよ」祖父は小さく笑いながら、「いまの感覚からすると馬鹿げたことに思えるだろうが、子供はなかなか親に逆らえない時代だった。まして若いころからずっと病気がちで、親の厄介になってきた旧家の娘となれば、親のあてがう相手を拒んで、別の男と一緒になりたいなんてことは、とても言えなかっただろう」

「それでどうしたの」

「彼女は嫁に行ったよ。わしはおばあさんと結婚して、おまえの父親が生まれた。それにしてもあいつは堅物だな」

「そんなことより、諦《あきら》めたの？　その人のことは」

「諦めたつもりだった。向こうもそうだったと思う。この世では一緒になれない縁というものがあるんだ」

「でも、諦められなかったんでしょう？」

祖父は目を細めて、ぼくの顔を値踏みするように見ていた。やがて口を開くと、「そのつづきは、いずれまた話すことにしよう」と言った。

「朔がもうちょっと大きくなってからな」


祖父がつづきを話す気になったのは、ぼくが高校生になってからだった。一年生の夏休みが終わり、二学期に入ったばかりのころ、ぼくは学校の帰りに祖父のマンションへ寄り、いつものようにテレビで大相撲中継を観ながらビールを飲んでいた。

「飯でも喰っていかんか」相撲が終わると祖父は言った。

「いいよ、おふくろが支度して待ってるから」

祖父の接待を断るのには訳がある。夕食の献立というのが、ほとんど缶詰なのである。コンビーフとか牛肉の大和煮とか鰯《いわし》の蒲焼《かばやき》とか。野菜にしたって缶詰のアスパラガスである。これにインスタントのみそ汁が付く。祖父は毎日こういうものを食べている。たまに母が食事を作りにいったり、うちに食べにきたりもするが、基本的に祖父の食生活は缶詰である。本人に言わせれば、年寄りは栄養だなんだと考えず、きまったものをきまった時間に食べることが大切なのだそうだ。

「今日は鰻《うなぎ》でも取ろうと思っているんだが」帰ろうとしていると祖父は言った。

「どうして?」

「どうしてって、鰻を喰っていかんという法はないだろう」

祖父が電話をかけて、二人前の鰻重《うなじゆう》が届くまでのあいだ、ぼくたちはビールをもう一本飲みながらテレビを観ていた。祖父はいつものようにワインの栓を抜いた。こうして三十分か一時間くらいおいて、夕食のあとで飲みはじめるのだ。ボルドーの赤を二日で一本という習慣も、ぼくの家で一緒に暮らしていたころから変わらない。

「今日は朔にたのみがあってな」祖父はビールを飲みながらあらたまって言った。

「たのみって?」鰻重に釣られて居すわってしまったぼくは、なんとなく嫌な予感がしはじめていた。

「うん、まあ話せば長くなるが」

祖父は台所からオイルサーディンを持ってきた。もちろん缶詰である。オイルサーディンをつまみにビールを飲んでいる途中で出前が届いた。鰻重を食べ、肝すいを飲み終えても、祖父の話は終わらなかった。ぼくたちはワインを飲みはじめた。この調子だと、二十歳になるころには立派なアルコール依存症者だ。ぼくの身体のなかにはアルコール分解酵素がたくさんあるのか、少々飲んだくらいでは酔わなかった。とても奈良漬けを一口食べて気分が悪くなる男の子供とは思えない。

ようやく祖父の長い話が終わったのは、ボトル一本分のワインがあらかた空になったころだった。

「朔も酒が強くなったな」祖父は満足そうに言った。

「おじいちゃんの孫だからね」

「おまえの父親はわしの息子のくせに一滴も飲まんぞ」

「隔世遺伝てやつだろう」

「なるほどな」祖父はわざとらしく頷いた。「ところでどうだ、さっきの話、引き受けてくれるか?」

7

翌日は二日酔いで頭が痛く、とても三角関数や間接話法どころではなかった。午前中は教科書の陰で吐き気を堪《こら》えて過ごし、四時間目の体育を乗り切ると、ようやく人心地がついた。弁当は中庭でアキと一緒に食べた。噴水の水しぶきを見ていると、また気分が悪くなりそうなので、ベンチを動かして池に背を向けて坐るようにした。ぼくは彼女に、昨夜祖父から聞いたばかりの話をした。

「じゃあ朔ちゃんのおじいさんは、ずっとその人のことを思いつづけていたのね」アキは心なしか目を潤ませて言った。

「まあそうなんだろうね」ぼくはやや複雑な心境で頷いた。「諦めようとはしたんだけど、忘れられなかったらしい」

「そして相手の人も、朔ちゃんのおじいさんのことが忘れられなかった」

「異常だろう?」

「どうして?」

「どうしてって、半世紀だぜ。種の進化だって起こりかねない」

「そんなに長いあいだ、お互いに一人の人のことを思いつづけていられるなんて素敵じゃない」アキはほとんど心ここにあらずといった風情だ。

「すべての生物は年をとるんだよ。生殖細胞以外の細胞は老化を免れない。アキちゃんの顔にもだんだん皺《しわ》が増えていく」

「何が言いたいの?」

「知り合ったときは二十歳ぐらいでも、五十年も経《た》てば七十になっちゃう」

「だから?」

「だからって……七十のお婆《ばあ》さんのことを一途《いちず》に思いつづけるなんて、不気味じゃないか」

「わたしは素敵なことだと思うけど」アキは突き放すように言った。なんだかちょっと怒っているみたいだ。

「それで、ときどきホテルなんかにも行くわけ？」

「よしなさいよ」アキは険しい目でぼくを睨《にら》んだ。

「おじいちゃんて、そういうことやりかねないんだ」

「朔ちゃんでしょう、そういうことやりかねないのは」

「いや、違うって」

「違わない」

議論はとうとう物別れに終わり、つづきは午後の理科の授業に持ち越されることになった。生物の教師が、人間のＤＮＡの九八・四パーセントはチンパンジーと同じであるという話をしていた。両者の遺伝子の違いは、チンパンジーとゴリラの遺伝子の違いよりも小さい。だからチンパンジーにいちばん近いのは、ゴリラではなく、われわれ人間である。そんな話に、クラス中が笑った。何がおかしいんだ、馬鹿野郎。

ぼくとアキは教室の後ろの方に坐って、あいかわらず祖父たちのことについて話しつづけていた。

「こういうのって、やっぱり不倫になるのかな」ぼくは重大な疑問を提起した。

「純愛にきまってるじゃない」アキは即座に反論した。

「でもおじいちゃんにも相手の人にも、妻や夫がいたんだぜ」

彼女はしばらく考え込んで、「奥さんや旦那《だんな》さんから見ると不倫だけど、二人にとっては純愛なのよ」

「そういうふうに立場によって、不倫になったり純愛になったりするのかい」

「基準が違うんだと思うわ」

「どんなふうに？」

「不倫というのは、要するにその社会でしか通用しない概念でしょう。時代によっても違うし、一夫多妻制の社会とかだと、また違ってくるわけだから。でも五十年も一人の人を思いつづけるってことは、文化や歴史を超えたことだと思うわ」

「種も超える？」

「えっ？」

「チンパンジーも一匹のメスのことを、五十年思いつづけたりするのかな」

「さあ、チンパンジーのことはわからないけど」

「つまり不倫よりも純愛の方が偉いわけだ」

「偉いっていうのとは、ちょっと違うかな」

話が佳境に入ってきたところで、「そこの二人、さっきから何を話しているんだ」という教師の声が飛んできた。罰として、教室の後ろに立たされることになった。権力だ、とぼくは思った。人間とチンパンジーの交配は可能かもしれないという話は許され、歳月を超えた男女の恋愛の話は許されないなんて。ぼくたちは立たされたまま、小声で祖父たちの話をつづけた。

「あの世を信じる?」

「どうして?」

「おじいちゃんは好きな人と、あの世で一緒になろうって誓い合ったわけだからさ」

アキはしばらく考えて、「わたしは信じないな」と言った。

「毎日寝る前に、お祈りしてるんだろう?」

「神様は信じるの」彼女はきっぱりと答えた。

「神様とあの世と、どう違うわけ?」

「あの世って、この世の都合で作り出されたもののような気がしない?」

ぼくはそれについてちょっと考えた。

「するとおじいちゃんたちは、あの世でも一緒になれないね」

「あくまでわたしが信じる信じないの話よ」アキは弁解するように言った。「おじいさんとその人には、また別の考え方があったんでしょうから」

「神様だって、この世の都合で作り出された可能性はあるよ。神頼みなんて言葉もあるくらいだから」

「それはきっとわたしの神様とは違うんだわ」

「神様は何人もいるのかい？　それとも何種類？」

「天国を畏《おそ》れることはないけど、神様を畏れることってあるでしょう。そういう気持ちを抱かせる神様にたいして、わたしは毎晩お祈りしているの」

「どうか天罰を下さないでくださいって？」

　ぼくたちはついに廊下に出された。廊下でも、懲りずに天国や神様の話などをしているうちに授業が終わり、二人とも職員室に呼ばれて、生物の教師とクラス担任から、それぞれ油を搾られた。仲のいいのは結構だが、授業中はもっと身を入れて先生の話を聞くように。


　正門を出たときには夕方近くになっていた。ぼくたちは黙って大名庭園の方へ歩いていった。途中にグラウンドと歴史博物館がある。城下町という名前の喫茶店もある。一度、学校の帰りに入ったことがあるが、コーヒーが不味《まず》いので二度と行かない。古い造り酒屋の前を過ぎて、街中を流れる小さな川のほとりまで来た。橋を渡ったところで、ようやくアキが口を開いた。

「でも結局、二人は一緒になることができなかったのね」彼女は話のつづきに戻るような口調で言った。「五十年も待ったのに」

「相手の人の旦那が死んだら、一緒になるつもりだったらしいよ」ぼくもやはり祖父たちのことを考えていた。「おばあちゃんが亡くなってから、おじいちゃんの方はずっと一人だったから」

「どのくらい？」

「もう十年になるかな。でも相手の人のところは、旦那より当人の方が先に死んでしまうんだから、うまくいかないもんだ」

「なんだか悲しい話ね」

「滑稽《こっけい》な話という気もするけど」

会話が途切れた。ぼくたちはいつもよりもうつむき加減に歩きつづけた。八百屋と畳屋の前を過ぎて、床屋の角を曲がると、アキの家はもうすぐ近くだ。

「朔ちゃん、手伝ってあげなさいよ」残りの道のりが少なくなってきたことを意識するように、彼女は言った。

「気安く言うけど、人の家の墓を暴くんだぜ」

「ちょっと怖い？」

「ちょっとどころの騒ぎじゃないよ」

「朔ちゃんて、そういうの苦手だもんね」

笑っている。

「何がそんなに嬉《うれ》しいわけ？」

「いえ、別に」

とうとう彼女の家が見えてきた。ぼくはその手前の道を右に折れて、国道を渡って自分の家に帰る。残りはあと五十メートルくらいだ。どちらからともなく歩調を緩めて、立ち話をする恰好《かっこう》になった。

「こういうのって、やっぱり犯罪だよな」とぼくが言うと、

「そうなの？」彼女は当惑したように顔を上げた。

「当たり前じゃないか」

「どういう罪になるのかしら」

「もちろん性犯罪さ」

「嘘ばっかり」

彼女が笑うと肩にかかった髪が揺れて、ブラウスの白さを際立たせた。長く伸びた二人の影が、半分より上は折れ曲がって、少し先のブロック塀に映っていた。

「とにかく見つかれば停学だな」

「そのときは遊びにいくから」

力づけるつもりだったのだろうか。

「気楽だね、あくまできみは」ぼくはため息まじりに呟いた。

8

両親には祖父のマンションに泊まると言ってあった。土曜の夜だった。夕食は鮨《すし》の出前を取った。祖父は奮発して「松」を注文してくれた。にもかかわらず、ぼくには大トロとウニの区別もつかなかった。アワビは固いゴムを嚙《か》んでいるみたいだった。この日はビールもボルドーの赤もなく、ぼくたちはテレビでプロ野球中継を観ながらお茶を飲み、そのあとはコーヒーを飲んだ。試合の途中で放送時間が終わった。

「そろそろ行くか」と祖父は言った。

その人のお墓は街の東の外れ、藩主の奥方を祀《まつ》った寺にあった。寺の近くでタクシーを降りた。このあたりは山の手にあたり、夏の渇水時には最初に水道が止まる一帯だ。まだ九月だったけれど、夜気は充分に冷たかった。

本堂につづく石段の横の、小さな山門を抜けると、赤土の道が墓地の方へ真っ直ぐに伸びている。左手は白い塗り壁で、向こうは僧坊らしいが、人の気配はまったくない。厠《かわや》の窓みたいなところに、薄暗い明かりが一つ点《つ》いているだけだ。右手は、おそらく幕藩時代にまで遡《さかのぼ》ると思われる古い墓だった。傾いた卒塔婆《そとば》や、角の欠けた墓石が、月明かりに照らされて浮かび上がっている。山の斜面に生えた杉や檜《ひのき》の古木が、道の上に覆いかぶさって空もろくに見えない。この道を真っ直ぐに行くと、突き当たりが藩主の奥方の墓地だった。立方体と球と円錐《えんすい》を組み合わせた、奇妙な形の墓石が、暗がりのなかに幾つも並んでいるのが見えた。その脇を左に迂回《うかい》して、さらに墓地の奥の方へ歩いていった。小さな懐中電灯は持ってきていたが、寺の人間に怪しまれてはいけないので、月明かりだけを頼りに進んだ。

「どのへんなの」ぼくは前を歩いている祖父にたずねた。

「もっと先だ」

「行ったことはあるの？」

「ああ」祖父は言葉少なだった。

それにしても、いったい幾つぐらいの墓がここにはあるのだろう。ゆるやかな谷間の斜面は、ほとんど墓石で覆い尽くされている。一つの墓に収められた遺骨は、一体とは限らない。平均して二人分か三人分の骨が収められているとすれば、墓地全体では何人くらいの死者が埋葬されていることになるのか、見当もつかなかった。昼間の墓地なら何度も行ったことがある。しかしこんな時間にやって来るのははじめてだった。夜の墓地は、昼間の墓地とは違い、死者たちの気配というか、息づかいのようなものが濃厚に感じられた。

頭上に目をやると、空を覆った巨木の梢を、数匹のコウモリが飛び交っている。

突然、降り注ぐような星空が目に飛び込んできた。思わず見とれているうちに、祖父の背中にぶつかった。

「ここなの？」

「ここだ」

見るとなんの変哲もない墓だ。墓石の大きさもほどほどだし、適度に古びてもいる。

「どうするの」

「まずお参りをしよう」

骨を盗みにきてお参りをするのも変なものだと思っているうちに、祖父は持参した線香に火をつけて供え、墓石の前で神妙に掌を合わせたまま動かなくなった。しょうがないので、ぼくも祖父の後ろに突っ立って掌を合わせた。これは墓に入っている、他の死者たちにたいする仁義であると考えることにした。

「さて」と祖父が言った。「まずこいつをどけよう」

線香を供えたばかりの石の香炉を、二人で抱えて脇に寄せた。

「懐中電灯で照らしておいてくれ」

香炉の後ろは、埋め込み式の石盤になっていた。祖父は持ってきたドライバーを石と石の隙間《すきま》に突っ込み、場所を変えては何度も掻《か》き出した。すると石盤が少しずつ前に出てきた。最後は爪《つめ》を立てるようにして、盤をゆっくり前に引き出した。なかはかなり広い石室になっている。奥行きもあるし、深さも相当なものだ。身をかがめれば、大人一人が充分入ることができそうだった。

「そいつを貸してくれ」

祖父はぼくから懐中電灯を受け取ると、腹這《はらば》いになって上半身を石室のなかに入れた。ぼくは祖父が穴のなかに落ちてしまわないよう、膝のあたりを上から押さえた。しばらくごそごそやっていた祖父は、懐中電灯をぼくに渡し、両手で慎重に、梅干しを漬けるような壺を取り出した。ぼくは無言で作業を見守った。祖父は懐中電灯の明かりで、壺の底に書かれた名前を確かめた。そして掛けてあった紐《ひも》を取り、ゆっくり蓋をあけた。なかにはもちろん遺骨が入っていたはずだ。そのまま長い時間が過ぎた。「おじいちゃん」と声をかけたとき、祖父の肩が月明かりに小さく震えているのに気づいた。

用意してきた桐《きり》の小箱に、骨壺に収められた骨を、祖父はほんの少しだけつまんで移した。せっかく苦労してここまで来たんだから、遠慮せずにがっぽり持っていこうぜ、と言いたくなるくらい慎《つつ》ましい量だった。しばらく骨壺のなかをぼんやり見ていた祖父は、やがて蓋をして紐を掛けた。先ほどのようにぼくが膝を押さえて、祖父は壺を墓に戻した。石盤を入れるのはぼくがやった。石のあちこちに、祖父がドライバーでつけた引っ掻き傷が残っていた。

タクシーでマンションに戻ってきたときには、もう十二時近くになっていた。ぼくたちは冷えたビールで乾杯した。奇妙な達成感とともに、とらえどころのない寂しさを感じていた。

「今日は遅くまで朔を煩わせてしまったな」祖父はあらたまって言った。

「いいんだよ」ぼくは半分ほど空になった祖父のグラスにビールを注《つ》ぎながら、「ぼくがいなくても、おじいちゃん一人で充分だったんじゃない」と謙遜《けんそん》して見せた。

祖父はグラスに軽く口をつけ、遠くを見つめるような顔で何事か考えていた。やがて立ち上がると、本棚から一冊の本を取り出してきた。

「朔太郎は漢詩を習っただろう」祖父は古めかしい本のページを開きながら言った。「この詩を読んでごらん」

題名には『葛生』とある。白文の下に書き下しの文が付いているので、そっちの方にざっと目を通した。

「どういう詩かわかるかい」

「死んだら同じお墓に入ろうってことだろう」

祖父は黙って頷き、「夏の日、冬の夜、百歳の後、その居に帰せむ」と最後の部分を諳《そら》んじた。

「夏の日の長き日を、冬の夜の長き夜を、きみはここに眠る。百歳ののち、わたしもいずれあなたのもとに眠るであろう。安らかにその日を待ちたまえ……というぐらいの意味かな」

「好きな人が死んでしまったんだね」

「ずいぶん進歩してきたようでも、人の気持ちというものは、心の奥底ではあまり変わらないのかもしれないな。この詩はいまから二千年も、それ以上も昔のものだ。朔太郎たちが学校で習う、絶句や律詩といった、きちんとした形式がまだ確立される遥《はる》か以前の、古い時代の詩だ。でもこの詩を作った人々の気持ちは、いまのわしらにも伝わってくるようじゃないか。それは学問や教養などなくても、誰にでも伝わるものだと思うよ」

テーブルの上には、桐の小箱が置いてあった。知らない人が見たら、へその緒か勲章でも入っていると思うに違いない。なんだか奇妙な気分だった。

「これはおまえが持っていてくれ」突然、祖父はそんなことを言いだした。「わしが死んだときに、骨と一緒に撒《ま》いてくれ」

「ちょっと待ってよ」ぼくは面食らって言った。

「この人の骨とわしの骨を同じくらい混ぜて、朔の好きなところに撒くのだ」祖父は遺言のように繰り返した。

遅まきながら祖父の魂胆に気づいた。骨を盗むだけなら、自分一人でこっそり決行すればよかったのだ。わざわざ孫であるぼくに計画を打ち明け、しかも実行犯として加担させたのには、ちゃんと理由があったのだ。

「いいか、約束だぞ」祖父は念を押すように言った。

「そんな約束はできないよ」ぼくは慌てて言った。

「不憫《ふびん》な年寄りの願いを聞き入れてくれ」いまにも泣きだしそうな声だ。

「聞き入れてくれと言われたって、そういうのは困るよ」

「造作《ぞうさ》もないことじゃないか」

ときどき父が母に、祖父のわがままな性格について愚痴をこぼしていたのを、いまごろになって思い出した。そうだった。祖父はわがままなのである。自分の欲望のためには他人の迷惑を顧みないタイプだ。

「そういう大事なことを、ぼくなんかに任せていいの？」なんとか祖父の翻意を促そうとした。

「他の誰に頼めというんだ」年寄りは頑固だ。

「親父とかさ」ぼくは懐柔するように言った。「一応、おじいちゃんの息子なんだし。きっとあの人が親族代表とかで、おじいちゃんの葬儀を取り仕切ることになると思うよ」

「あの堅物にわしらの気持ちはわからんよ」

「わしら……」呆気に取られていると、

「とにかくわしとおまえは気が合う」などと言って、どんどん話を進めてしまう。「おまえならきっと、こういうことをわかってくれると思って、わしは朔が大きくなるのを待っていたんだ」

やはり鰻重に釣られたあの夜から、すべてははじまったのだ。いや、それ以前から、水面下で事は周到に進められてきたに違いない。ぼくが物心ついたころから、祖父はこの日のために、ずっと自分の孫を手なずけてきたのだ。そう考えると、自分が光源氏の手に落ちた若紫のように思えた。

「だいたいおじいちゃん、いつ死ぬの」心ならずも冷淡な声色になった。

「そりゃあ寿命が尽きるときだな」向こうはぼくの声の変化など、まるで気にしていない様子だ。

「だからいつなんだよ」

「いつかわからないから、寿命と言うんだ。わかっていれば、ただの計画だ」

「それじゃあおじいちゃんが死ぬときに、そばにいてやれるかどうかわからないじゃないか。火葬に立ち会わなきゃ、骨をちょろまかせないよ」

「そういうときは、また今夜のように墓を暴けばいい」

「ぼくにまた、こういうことをさせようっての?」

「たのむ」祖父はにわかに切迫した声で、「こんなことをお願いできるのは、おまえしかいないんだ」

「そんなこと言われたって」

「なあ朔太郎、好きな人を亡くすというのは悲しいものだ。この思いは、どんなふうにしたって形では表せない。形で表せないからこそ、形に就くのではないだろうか。さっきの詩にもあったじゃないか、別れは辛《つら》いけれどまた一緒になろうと。どうかわしらの思いを成就させてはくれぬか」

もともとぼくは敬老精神に溢れた人間だ。おまけに祖父の使った一人称複数に足をすくわれたのだと思う。

「わかったよ」ぼくは不承不承に言った。「撒けばいいんだろう」

「年寄りの願いを聞き入れてくれるか」祖父はにわかに顔を輝かせた。

「しょうがないだろう」

「すまんな」しおらしく目を伏せた。

「でも好きなとこって言われても、そういうのは困るからね。あらかじめ場所を指定しておいてよ」

「そりゃあ指定しておいてもいいが」祖父はやや思案顔になって、「わしが死ぬころには、そこがどうなっとるかわからんからな。どこかの木の根元に撒いてくれと言っておいても、十年後には高速道路の下になっているかもしれん」

「そのときはまた変更すればいいじゃない」

祖父はしばらく考えて、「やっぱりおまえに任せるよ」と言った。「良識ある判断でたのむ」

「だからそういうのはだめだって。じゃあ、だいたいでいいよ。海とか山とか空とか、どっちの方面がいいの？」

「そうだな、やっぱり海がいいな」

「海ね」

「でもあまり水の汚いところは嫌だぞ」

「うん、わかった。きれいなところを見つけて撒くよ」

「ちょっと待て、海だとすぐ潮に流されてばらばらになってしまうな」

「まあ、そうかな」

「やっぱり山にしてくれ」

「山ね」

「開発の手が及ばないようなところにたのむ」

「わかった、あまり人の来ない、高いところに撒いてやるよ」

「野草などが近くにあると、有り難いな」

「野草ね」

「あの人は菫《すみれ》が好きだった」

ぼくは腕組みをしてじっと祖父の方を見た。

「なんだ?」

「けっこう細かい注文つけるじゃない」

「ああ、すまん」祖父は寂しそうに目を逸《そ》らし、「年寄りのわがままだと思って、許してほしい」と言った。

ぼくは祖父にも聞こえるような大きなため息をついた。

「あまり人が来なくて、野生の菫が生えている山のなかに撒けばいいんだね」

「おまえ、少し投げやりになってないか」

「そんなことないよ」

「それならいいんだが」

9

翌日、昼前に家に帰ると、アキのところに電話をかけて、会えないかどうかたずねた。彼女の方はすでに午後から予定が入っていた。夕方なら大丈夫だというので、五時に待ち合わせて一時間くらい会うことにした。

二人の家から、ほぼ同じ距離のところに神社がある。ぼくの家からだと、川沿いの道を南に五百メートルほど行き、橋を渡ったところが正面の大鳥居になる。埃《ほこり》っぽい土の駐車場を抜けると、長い石段が小高い山の中腹までつづいている。石段を登り切ったところに社があり、そこから東の方角に一本の細い道が見える。道は住宅地のなかを国道まで伸びている。警察署の前の信号を渡り、少し奥へ引っ込んだところがアキの家だ。早めに待ち合わせの場所に着いて、社のある境内から、彼女がやって来るのを見ているのが好きだった。少しでも早く姿を見つけることができると嬉しかった。

ぼくに見られていることも知らずに、アキはやや前かがみに自転車を漕いでくる。東側の登り口に自転車をとめると、ぼくが登ってきたのとは別の細い石段を、小走りに駆けてくる。

「遅くなってごめん」彼女は肩で息をしながら言った。

「走らなくてもよかったのに」

「あまり時間がないから」そう言って、大きく息を吐いた。

「何か予定があるの?」ぼくは腕時計を見てたずねた。

「別に何も。お風呂に入ってご飯を食べるだけ」

「なら時間はあるじゃない」

「夜になってしまうわ」

「これから何をするつもり?」

「さあ」アキは笑いながら、「朔ちゃんでしょう、呼び出したのは」

「そんなに時間はとらせないよ」

「じゃあ急がなくてもよかったんだ」

「さっきからそう言ってるのに」

「とにかく坐りましょう」

ぼくたちはアキが駆け登ってきた石段のいちばん上に腰を下ろした。眼下に町並みが広がっている。どこからか木犀《もくせい》の匂いが風に乗って漂ってきた。

「用ってなに？」

「東の空はもう暗いね」

「えっ？」

「今夜は二人でＵＦＯを見るぞ」

「なんなのよ」

「これ」

ぼくはジャンパーのポケットから、例の小箱を取り出した。蓋が開《ひら》かないように、太いゴムバンドが掛けてある。アキは中身を察したのか、ちょっとたじろぐような素振りを見せた。

「取ってきたの？」

ぼくは無言で頷いた。

「いつ？」

「昨夜」

ゴムバンドを外して、そっと蓋をあけた。箱の底に白っぽい骨の破片が入っている。アキはあらためて箱のなかを覗き込んだ。

「ずいぶん少ないのね」

「おじいちゃんたら遠慮しちゃって、これだけしか取ってこなかったんだ。慎ましいというか気が小さいというか」

彼女はぼくの言葉を聞き流し、「そんな大切なものを、どうして朔ちゃんが持ってるの」とたずねた。

「預かってるんだ。おじいちゃんが死んだら、二人の骨を混ぜてどっかに撒いてくれってさ」

「遺言？」

「まあね」

ぼくは祖父のお気に入りの漢詩の話をした。

「同穴の願いっていうんだそうだ」

「どうけつ？」

「死んだら同じお墓に入ろうねっていう。いつかまた自分たちは一緒になるんだって考えないと、愛する人を失った人の心は癒《いや》されない。こうした思いは、万古不易《ばんこふえき》のものだろうっておじいちゃんは言ってた」

「だったら同じお墓じゃなくていいのかしら」

「まあ、おじいちゃんたちの場合は、一応不倫になるわけだから、やっぱり同じお墓ってのは差し障りがあるんだろう。それで散骨なんていう姑息な方法を思いついたんじゃないかな。こっちはいい迷惑だよ」

「いいお話じゃない」

「そんなに一緒になりたいんなら、いっそのこと食べちゃえばいいのに」

「骨を？」

「カルシウムとかもあるしさ」

アキは小さく笑った。

「わたしが死んだら、朔ちゃんはわたしの骨を食べるの？」

「食べたいね」

「いやだ」

「いやだと言っても、アキは死んでるんだからどうしようもないよ。ぼくは昨夜みたいにお墓を暴いて、アキの骨を取ってきて、毎晩ちょっとずつ食べるんだ……健康法」

彼女は再び笑った。その笑いを不意に収めて、「わたしはやっぱりどこか景色のいいところに撒いてほしいな」と遠くを見つめるように言った。

「お墓って、なんとなく暗くてじめじめしてるもの」

「そういう具体的な話をしてるわけじゃないんだけど」

笑い合うかわりに静まって、二人のあいだで言葉が途切れた。ぼくたちは黙って小箱の灰に見入った。

「気持ち悪い？」

「ううん」彼女は首を振った。「全然」

「最初はこんなもの預かるの嫌だったけど、こうして二人で見てると、なんだか気持ちが落ちつく」

「わたしも」

「不思議だね」

すでに日は沈み、あたりは暗くなりかけていた。白袴《しろばかま》の神主らしい人が石段を登ってきたので、ぼくたちは「こんばんは」と挨拶《あいさつ》をした。彼の方も太い声で「こんばんは」と挨拶を返した。

「何をしてるの」彼はにこにこしながらたずねた。

「ええ、ちょっと」とぼくは答えた。

「蓋をしとけば」神主さんの姿が見えなくなってからアキは言った。

ぼくは小箱にゴムバンドをかけて、ジャンパーのポケットにしまった。彼女はしばらくポケットの膨らみを見ていた。それから空を見上げて、

「もう星が出てる」と言った。「最近、星がきれいだと思わない?」

「フロンガスのせいだよ。オゾン層が破壊されてるから、空気が薄くなって星がよく見えるんだ」

「そうなの」

しばらく黙って空を見ていた。

「UFO、現れないね」とぼくは言った。

アキはちょっと困ったように笑った。

「そろそろ帰ろうか」

「うん」彼女は小さく頷いた。

空に残った最後の光が消えてしまう間際に、ぼくたちはキスをした。目と目があったとき、見えない合意が成立して、気がついたら唇を合わせていた。アキの唇は落ち葉の匂いがした。それともあれは神主さんが、神社の庭で落ち葉を焼いたときの匂いだったのだろうか。彼女はポケットの上から小箱に手を触れ、あらためて唇を強く押しつけてきた。また落ち葉の匂いが強くなった。

第二章

1

冷蔵庫からコーラを取り出し、立ったままで飲んだ。窓の外には赤い砂漠が広がっている。砂漠では毎日毎日、新しい年がめぐってくる。昼は真夏の日差しが照りつけているのに、夜になると凍えそうなほど気温が下がる。二十四時間の周期で繰り返される、春と秋の欠けた四季。

部屋は冷房が効きすぎて、涼しいというより寒いくらいだった。窓ガラス一枚を隔てて、摂氏五十度を超える地面の広がっていることが、にわかには信じられない。長いあいだ砂漠を見ていた。ホテルのまわりこそ、柳に似たユーカリの高木が茂り、乏しいながら草も生えているが、その先には何もない。跳ね返るものがないので、視線はどこまでも伸びていって、そのまま帰ってこられなくなる。

アキの両親は、ツアーバスで砂漠の観光に出かけた。娘の見られなかったものを、代わりに自分たちが見てくるのだという。ぼくも誘われたけれど、一人でホテルに残った。観光という気分ではなかった。いま見ているものは、彼女が見なかったものだ。かつても見なかったし、これからもけっして見ることはない。ここはどこだろう、と自分に問いかけてみる。もちろん緯度と経度の交点として、あるいは地理的な名によって、この場所を特定することは可能だ。でも、そんなことにはなんの意味もない。ここがどこであろうと、そこはどこでもないのだから。

何を見ても、砂漠に見える。緑に覆われた野山も、輝く海も、大勢の人々が行き来する街も。こんなところまで来る必要はなかったのだ。アキが死んで、世界中が砂漠になってしまった。彼女が逃げていく。世界の果ての、さらにその先まで。追いかけるぼくの足跡を、風と砂が消し去っていく。

ホテルのレストランで、普段着の観光客たちが食事をしていた。

「砂漠はどうでしたか」ぼくはアキの両親にたずねた。

「暑かったよ」父親が答えた。

「エアーズロックには登ったんですか」

「この人ったら全然だめなの」アキの母親がかわって答えた。「わたしより体力がないんだから」

「きみは体力がありすぎるよ」

「煙草《タバコ》をやめるべきね」

「やめようとは思うんだが」

「でも、やめられないのね」

「なかなか難しくて」

「きっと本気でやめるつもりがないんだわ。やめたいっていうのは口先だけで」

アキの両親の会話を、聞くともなしに聞いていた。どうして彼らはそんなふうに、普通に話すことができるのだろう。ぼくの気持ちをほぐすためということはわかっている。それにしても……アキはいないのに。話すことなど、もう何もないのに。


バスを降りると、目の前に巨大な岩山がそそり立っていた。岩の表面はラクダの瘤《こぶ》のように凸凹《でこぼこ》している。それが幾つも連なって、巨大な塊を作り上げている。何人もの観光客が、鎖を手繰りながら数珠状になって山を登っていた。山のまわりは、あちこちが風化によって洞窟《どうくつ》状になっており、その岩肌にアボリジニによって描かれたロック・アートが残されていた。

道は予想以上に険しかった。たちまち汗が吹き出してくる。こめかみのあたりが脈打ちはじめる。頭上に連なる岩瘤が、巨人の腕の筋肉のように見えた。十メートルばかり登ったところで、ようやく傾斜が緩み、頂上部のアップダウンがはじまった。ぼくたちは幾つもの小山を乗り越えて先へ進んだ。だらだらした岩の連なりが唐突に途絶え、足元が垂直に深く切れ落ちていた。透明な太陽の光が、ほぼ真上から差し込んで、古い地層を浮かび上がらせている。

下からは無風と見えた岩の上は、かなり強い風が吹いていた。そのため日差しは強かったが、耐えがたいというほどではなかった。前方に目をやると、遥か彼方で地面と空の境界が白く霞《かす》み、地平線ははっきりしない。四方を見まわしても、同じような風景ばかりだ。空には明るい光が溢れ、雲ひとつない。群青から水色へ、青の微妙な色あいだけが、空にかんするすべてだった。

麓《ふもと》の簡易食堂で、火傷《やけど》しそうに熱いミート・パイを食べた。岩山の上をセスナが飛んでいた。ここでは、どこへ行くにも飛行機だ。人々は飛行場から飛行場へ移動する。砂漠のあちこちで、打ち捨てられているとしか思えない小型飛行機や車を見た。最寄《もよ》りの修理工場まで、数百キロということもざらなこの大陸では、壊れたものは朽ちるにまかせるしかないのだろう。目の前に、いま登ってきたばかりの岩山が見えた。まるい岩の表面を、深く折り畳まれた襞《ひだ》が無数に走っている。

「人間の脳味噌《のうみそ》みたいだな」

誰かがそんな感想を口にすると、同じテーブルでグレイビーソースのかかった挽き肉《ひにく》を口に運んでいた女の子が、

「やめてよ」とヒステリックに叫んだ。

そんな会話のなかに、しかしアキはいない。だからぼくもまた、そこにはいない。かといって、いま、この場所にもいない。過去でも現在でもないどこか、生でも死でもないどこかに、迷い込んでしまったらしい。どうしてこんなところへ来てしまったのかわからない。気がつくとここにいた。そこがどこかもわからない場所に、自分が誰かもわからないぼくが。

「何か食べない?」アキの母親がたずねていた。

父親がテーブルの端に立ててあるメニューを取って妻に渡した。彼女はぼくの目の前でそれを開き、自分も一緒に覗き込んだ。

「砂漠の真ん中なのに、どうしてこんなにシーフード・メニューが豊富なのかしら」彼女は怪訝《けげん》そうに言った。

「ここは空輪文化だからね」父親が答える。

「カンガルーやバッファローは食べたくないし」

ウエイターがやって来た。ぼくが捗々《はかばか》しい返事をしないので、二人はタスマニアン・サーモンのマリネとロック・オイスターをたのんだ。ついでにワイン・リストのなかから、手頃な値段の白ワインを選んで注文した。料理がやって来るまで、三人とも喋らなかった。アキの父親はぼくにもワインを注いでくれた。ワインを飲んでいるうちに、先ほどのウエイターが料理を持ってきた。ぼくは彼に水をたのんだ。咽喉《のど》が渇いて仕方がなかった。

グラスの水を一口飲んだとき、突然、まわりの物音が聞こえなくなった。耳に水が詰まっている感じとも違う。音そのものが聞こえなくなってしまったのだ。まったくの無音。話し声も、ナイフやフォークが食器に触れる音も。何も聞こえない。アキの両親は口だけ動かして喋っているようだった。

ただ、誰かがビスケットを齧《かじ》る音だけが聞こえていた。音は遠くから聞こえてくるようでもあり、すぐ耳元で聞こえるようでもあった。サク、サク、サク、サク……。

あのころはまだ、アキの病気をあまり深刻には考えていなかった。ぼくは人の死を、自分たちに結び付けて考えることができなかった。それは年老いた人たちにだけ訪れるものだった。もちろんぼくたちも病気に罹《かか》ることはある。風邪をひいたり、怪我《けが》をしたりすることはある。しかし死は、それらとは別のものだ。何十年も生きて、少しずつ年老いていった先にあるのが死だった。真っ直ぐに伸びる白い道が、遥か彼方の眩《まぶ》しい光のなかで見えなくなっている。その先には何があるのかわからない。「虚無」だと言う者もいるが、それを見てきた人間はいない。死とはそういうものだった。

「行きたかったな」

修学旅行の土産に買ってきたアボリジニの木彫り人形を渡すと、アキはひとしきり礼を言ったあとで、人形を膝に抱いたまま呟いた。

「小さいころから、ほとんど風邪もひいたことがなかったのよ。それなのに、よりによってこんなときに病気に罹るなんて」

「またいつでも行けるさ」ぼくは宥《なだ》めるように言った。「ケアンズまで七時間くらいで着いちゃうんだから、新幹線で東京へ行くようなもんだよ」

「それはそうだけど」アキはなおも浮かない顔で、「でも、やっぱりみんなと一緒に行きたかったわ」

ぼくはコンビニエンス・ストアの袋からお菓子を取り出した。彼女の好きなプリンとビスケットだった。

「食べる?」

「ありがとう」

ぼくたちは黙ってプリンを食べた。プリンを食べ終えるとビスケットを食べた。食べるのを止《や》めて耳を澄ますと、アキが前歯でビスケットを齧る音が聞こえた。サク、サク、サ

ク、サク……まるでぼくを翳っているみたいだ。しばらくして、
「新婚旅行で行けばいいじゃない」と言ってみた。

ぼんやりしていたアキは、「えっ？」というように振り向いた。

「オーストラリアへはさ、新婚旅行で行けばいいよ」

「そうね」彼女は心ここにあらずといった感じの相槌を打ち、それからふと我に返ったみたいに、「誰と？」とたずねた。

「誰とって、ぼくとじゃないの？」

「朔ちゃんと？」声をたてて笑った。

「違うのかい」

「違わないけど」彼女は笑いを収めながら、「でもへんよ」

「何が」

「新婚旅行だなんて」

「どっちがへんなの？」

「どっちって？」

「新婚、それとも旅行？」

アキはしばらく考えて、「やっぱり新婚の方かな」と言った。

「新婚のどこがへんなのさ」

「わかんないけど」

ぼくは箱からビスケットを一枚つまみ上げた。上に塗ってあるチョコレートが柔らかくなっていた。まだそんな季節だった。

「たしかにへんだ」

「でしょう?」

「ぼくとアキが新婚だなんて」

「笑ってしまうよね」

「マドンナが、じつはバージンでしたって言ってるみたいだ」

「なによ、それ」

「わかんないけど」

言葉が途切れた。ぼくたちは時間を齧るみたいにビスケットを齧りつづけた。サク、サク、サク、サク、サク……。

何もかもが、ずいぶん昔のことのように思える。

2

夏に向かって、日が長くなっていく季節だった。いつまでも暗くならないのをいいことに、学校から家まで、あちこち寄り道をして帰った。爽《さわ》やかな新緑の匂いがしていた。いつも待ち合わせをする神社から、川の土手をずっと上流まで歩いていくのが好きだった。川原には夏草が茂り、水面では魚が跳ねた。夕暮れになると蛙《かえる》が鳴いた。ときどき人けのない場所で、そっと唇を合わせるだけのキスをした。そんなふうに人の目を盗んで、素早くキスをするのが好きだった。世界が与えてくれる果実の、いちばん美味《おい》しい部分だけをかすめ取っているような気分だった。

その日も学校の帰り道、川の上流まで歩いて引き返してきたぼくたちは、神社の石段に腰を下ろし、五月の連休に遠出する計画を練っていた。アキは動物園に行きたがった。でもそんな代物、この街にはない。いちばん近いところは、空港のある地方都市の動物園で、電車で二時間ほどかかる。往復四時間の道のりだ。ぼくはもっと近くの海とか山とかでもいいと思ったが、アキの方はすっかりその気になって、朝早く出れば五時間くらいは遊ぶことができるじゃない、などと言っている。

「お弁当を持っていこう」と彼女は言った。「朔ちゃんのぶんも作ってくるから。そしたら昼ご飯代が浮くでしょう」

「どうも。あとは電車賃だね」

「なんとかなりそう？」

一応、図書館で日当稼ぎをして貯《た》めたお金があるにはあった。買いたいＣＤを何枚か我慢すれば、旅費ぐらいは捻出《ねんしゅつ》できる。

「家の方はいいの？」

「家って？」アキは不思議そうに首をかしげた。

「なんと言って出てくるつもり？」

「朔ちゃんと動物園に行くって。だってその通りでしょう？」

それはそうなのだけれど、あまりあからさまに公認されると、小学校の遠足にでも出かけるような気分になる。

「古文のあからさまって、にわかにとか、ついちょっとって意味なんだよね。知ってました？」

彼女は訝《いぶか》しそうに目を細めて、「何を考えてるの？」

「いや、別に。アキの家の人たちは、ぼくのことをどう思ってるのかな」

「どうって？」

「娘の将来の夫として認知してくれてるのだろうか」

「そんなこと考えてるわけないじゃない」彼女は笑った。

「なぜ」

「なぜって、わたしたちまだ十六よ」

「四捨五入すれば二十歳だ」

「どういう計算よ」

ぼくはスカートの下から出ている彼女の足をぼんやり眺めていた。夕暮れの薄闇《うすやみ》のなかで、真っ白なソックスが目に眩しかった。

「とにかく、早くアキと結婚したいよ」

「わたしもよ」彼女は淡白に答えた。

「ずっと一緒にいたいから」

「ええ」

「二人ともそう思っているのに、なぜにそうはならないか」

「急に言葉づかいが変わるのね」

ぼくは彼女の指摘を無視して、「なぜなら結婚というのは、社会的に自立した男女の合意によって成り立つものだからである。だったら病気なんかで自立できない人たちは結婚しちゃいけないのかってことになる」

「ほら、また極論に走る」アキはため息まじりに言った。

「社会的に自立するってどういうことだと思う?」

彼女は少し考えて、「働いて自分でお金を稼ぐってことかな」

「お金を稼ぐってどういうこと?」

「さあ」

「それはつまり、社会のなかで能力に応じて役割を演じるってことだよ。その報酬がお金なんだ。それなら人を好きになる能力に恵まれている人間は、その能力を生かして人を好きになることで、お金をもらってなぜ悪い？」

「やっぱりみんなの役に立つことじゃないと、だめなんじゃないの」

「人を好きになること以上に、みんなの役に立つことがあるとは思えないけどな」

「こういう現実離れしたことを平気で言う人を、わたしは未来の夫にしようとしているんだわ」

「表面的にいくらきれいごとを言っても、ほとんどの人は自分だけよければいいと思って生きてるわけだろう」ぼくはつづけた。「自分だけ美味しいものが食べられればいい、自分だけ欲しいものが買えればいい。でも人を好きになるってことは、自分よりも相手の方が大切だと思うことだ。もし食べる物が少ししかなければ、ぼくは自分のぶんをアキにあげたいと思うよ。限られたお金しかないなら、自分のものよりもアキの欲しいものを買いたいと思う。アキが美味しいと思えば、ぼくのお腹《なか》は満たされるし、アキが嬉しいことは、ぼくが嬉しいことなんだ。それが人を好きになるってことだよ。これ以上大切なことが、他に何かあると思うかい？　ぼくには思いつかないね。自分のなかに人を好きになる能力を発見した人間は、ノーベル賞のどんな発見よりも大切なことを発見したんだと思う。そのことに気づかないなら、気づこうとしないのなら、人間なんて滅びた方がいい。

惑星でもなんでも衝突して、早く滅びてしまった方がいいよ」

「朔ちゃん」宥めるように、アキがぼくの名前を呼んだ。

「ちょっと頭がいいから、自分は人より偉いと思ってるやつなんて、ただの馬鹿じゃないか。そういうやつには、一生勉強してろと言いたいね。金儲《かねもう》けだって同じだよ。金儲けの得意なやつは、そればかり一生やってればいいんだ。そして儲けた金でぼくらを養ってくれればいい」

「朔ちゃん」

二回目に名前を呼ばれて、ようやく口を噤《つぐ》んだ。アキの困ったような笑顔が間近にあった。彼女はちょっと首をかしげて、

「キスでもしませんか」と言った。


動物園は、いつものとおりの動物園だった。ライオンは寝ていたし、ツチブタは泥浴びをしていたし、オオアリクイはアリを食べていた。ゾウは檻《おり》のなかを歩きまわって巨大な糞《ふん》をし、カバは水のなかで間抜けな欠伸《あくび》をし、キリンは人を見下すように長い首を伸ばして木の葉を食べた。アキは動物となると夢中で、どんな人ごみのなかへでも果敢に割り込んでいく。そしてキツネザルを見て、「ほら、尻尾《しっぽ》を器用に使うのね」と言ったり、ガラスのなかのグリーンイグアナに、「こっちへおいで」と呼びかけたりした。

だいたい金を払ってキリンやライオンを見て、どこが面白いのだろう。動物園なんて、ただ臭いだけだ。ぼくは自然保護や地球の環境問題に関心をもっているが、だからといってナチュラリストやエコロジストというわけではない。アキと二人で幸せに暮らしたい。そのためには緑もオゾン層も残っていて欲しいという、それだけのことなのである。動物保護の考えには概《おおむ》ね賛成だが、それは動物たちが可哀相《かわいそう》だからというより、彼らを殺したり虐待したりする人間の横暴さや傲慢《ごうまん》さに腹が立つからだ。アキはそのあたりのことを誤解して、ぼくのことを動物好きのやさしい人間だと思っているふしがある。だから「朔ちゃん、今度の連休動物園へ行きましょう、動物園！」なんて言うのだが、ぼくがアライグマやニシキヘビを見て喜ぶと思ったら大間違いだぜ。そんなことよりキスさせろ、胸ぐらい触らせろ……なんてことは、思っていても言わないのね。気が弱いから。

低地ゴリラの檻の近くでお弁当を食べた。ゴリラは檻の隅で静かに腋《わき》の下を掻いていた。ときどき鼻を近づけて、匂いを嗅《か》ぐような仕種《しぐさ》をしている。どう見ても、自分の体臭を気にしているとしか思えない。あまりいつまでもそれを繰り返すので、神経症ではないかと思った。

「朔ちゃんのおじいさんが好きだった人の骨、まだ持ってる？」弁当を食べ終えて、缶入りのウーロン茶を飲んでいるときにアキがたずねた。

「ああ、持ってるよ。遺言だからね」

「そうね」彼女は微笑んだ。「それがどうかしたの？」

アキはしばらく考えて、「朔ちゃんのおじいさんは、その人とは別の人と結婚されたのよね」

「うん、そしてぼくが生まれる遠因をつくった」

「どんな御夫婦だったのかしら」

「おじいちゃんとおばあちゃん？」

彼女は頷いた。

「おばあちゃんは早く亡くなったからよくわからないけど、まあ普通の夫婦だったんじゃないかな。仲はそんなに悪くなかったと思うよ。だってああいう太平楽な息子がいたわけだから」

「太平楽？」

「うちの親父のことだけど。夫婦仲が悪いとさ、子供はもうちょっと屈折するっていうか、デリケートな人間になるんじゃないかな」

それには答えずに、「どっちが幸福なのかしらね」と彼女は言った。

「何が？」

「好きな人と一緒に暮らすことと、別な人と暮らしながら好きな人のことを思いつづけることと」

「そりゃあ一緒に暮らす方だろう」

「でも一緒にいると、その人の嫌なところも目にするじゃない。つまらないことで喧嘩《けんか》したり。そういうことが毎日積み重なっていくと、最初はどんなにその人のことが好きでも、何十年後かには、何も感じなくなってしまうんじゃないかしら」

　確信ありげな言い方だった。

「ずいぶん悲観的なんだね」

「朔ちゃんはそんなこと考えない？」

「ぼくならもっと前向きに考えるな。いま相手のことがすごく好きだとする。十年後にはもっと好きになっている。最初は嫌だったところまで好きになる。そして百年後には、髪の毛の一本一本まで好きになっている」

「百年後？」アキは笑いながら、「そんなに生きるつもり？」

「恋人とかで、長く付き合っていると飽きるってのは、嘘じゃないかな。だってぼくたちはもう二年近く付き合ってるけど、ちっとも飽きないじゃない」

「だって一緒に暮らしてるわけじゃないもの」

「一緒に暮らしてると、どういう不都合が生じるんだい」

「わたしの嫌なところを、いろいろ見ることになるわ」

「たとえば、どういうところ」

「教えない」

「そんなに嫌なところがあるの？」

「そう、あるの」彼女は下を向いて、「朔ちゃんはきっとわたしのことを嫌いになるわ」

なんだか拒絶されたみたいだった。

「昔の神話なんかに、好き合ってる二人の思いが大地を動かすみたいなのがあるじゃない」気を取り直して言った。「すごく好き合ってる男と女がいて、ある事情で仲が裂かれてしまう。女の父親とか兄弟なんかが邪魔をしてさ」

「それで？」

「離れ離れになるわけだ。男は島とかに流されちゃって、小舟では会いにいくこともできない。でも二人の思いはとても強い。すると何キロも離れていた島が、少しずつ近寄ってきて最後にはくっついちゃうとか。二人の思いが島を引き寄せたんだ」

そっと様子を窺《うかが》うと、彼女は下を向いて何か考えているようだった。

「昔の人はそんなふうに、人が人を思う力をすごく強いものと考えていたんじゃないかな」ぼくはつづけた。「離れている島を引き寄せてしまうくらいにさ。そういう力を身近に見たり、自分自身のなかに感じたりすることがあったと思うんだ。でも、いつのまにか人間は、自分のなかの力を使わなくなった」

「なぜかしら」

「そりゃあ、いつも使ってたら大変だからさ。男と女が惚《ほ》れ合ったぐらいで島や大陸がくっついたり離れたりしていたら、地形がめまぐるしく変わって、国土地理院とか困るじゃない。それに好きな相手をめぐる争いも熾烈《しれつ》をきわめるだろうね。なにしろ島を引き寄せてしまうようなやつらが戦うんだから。当人たちだって身が持たない」

「そうね」彼女は納得したように頷いた。

「だから、そういう消耗的かつ非生産的なことはほどほどにして、狩猟採集生活に精を出そうとか思ったのかもね」

「なんだか進路指導の先生みたい」彼女はおかしそうに笑った。

「そうかい?」

アキは不自然なだみ声をつくり、「広瀬、恋愛も結構だが勉強もしっかりしなくちゃな。数学で赤点とるようではいかんぞ」

「なんだよ、それは」

「とくにあの松本なんてやつとは、ほどほどに付き合うように。あいつはおまえの人生を台無しにしかねない。思い詰めると、前後の見境なく島まで引っ張ってきてしまうようなやつだ」そこまで喋ると普通の声に戻って、「もうすぐ試験ね」と言った。

「明日からまた勉強だな」

アキは憂鬱《ゆううつ》そうに頷いた。

「でも、それまでは愛に生きよう」とぼくは言った。

電車の駅から動物園に来る途中、ぼくたちは人ごみを避けて細い裏道を通ってきた。そのとき一軒のホテルがひっそりと建っているのに、ぼくは目敏《めざと》く気づいていた。どんな種類のホテルであるのかも、理解しているつもりだった。来るときはさり気なく通り過ぎたけれど、視野の隅でしっかり「空室」のグリーンのサインや、「休憩」の料金などを読み取って頭に入れておいた。そして手持ちのお金から、帰りの電車賃を引いた金額と照合したりしていたのである。

帰りも同じ裏道を通った。まだ夕暮れには時間があった。あいかわらず「空室」のサインの方に明かりが点いている。ホテルが近づいてくるにつれて、気詰まりな沈黙が訪れた。どちらからともなく足取りが重くなった。ホテルの前ではほとんど止まりかけた。

「アキはこういうところに入るの、嫌かい」前を向いたまままたずねた。

「朔ちゃんは?」彼女はうつむいてたずね返した。

「ぼくは別にどうでもいいんだけど」

「まだ早すぎると思わない?」

沈黙。

「ちょっと様子を見てみるってのはどう？　入ってみて、もしへんなところだったらすぐ出てこよう」

「お金はあるの？」

「大丈夫」

高級レストランみたいな厚い扉を押して、おそるおそる建物のなかに足を踏み入れた。昼に食べた弁当を吐いてしまうのではないかと思うほど緊張したが、腋臭《わきが》を嗅ぐ低地ゴリラの仕種を思い浮かべて、なんとか耐えた。予想に反して、ロビーは明るく清潔そうだった。ひっそりして、従業員の姿さえない。

「静かだね」

ロビーの正面に、ゲームセンターの両替機のようなものが置いてあった。どうやらそこにお金を入れて、好きな部屋のボタンを押すと、受け皿に鍵《かぎ》が落ちてくる寸法らしい。これなら誰にも見咎《みとが》められずに利用することができる。ズボンのポケットを探って財布を取り出そうとしていると、

「わたし嫌だわ」アキが小さな声で言った。「こういうところ、好きじゃない」

ぼくは財布を取り出しかけた手を引っ込めて、代わりにズボンの上から尻を軽くぽんぽんと叩いた。

「ああ……そうだね」

「出ましょう」

ぼくたちはもとの路地を電車の駅に向かって歩きはじめた。二人とも長いあいだ口をきかなかった。急速に夕暮れが近づいたような気がした。

「やっぱりへんなところだったね」駅が見えてきたころになってぼくは言った。

それには答えずに、「手をつなごうか」と彼女は言った。

3

夏休みの読書感想文を書くために、島尾敏雄《しまおとしお》の『出発は遂《つい》に訪れず』を読んだ。太平洋戦争の末期、特攻隊の隊長である主人公は、司令部から特攻戦発動の指令を受け取る。彼は最期の日がきたと覚悟をきめ、隊員たちとともに待機して出撃命令を待つ。しかし命令はいつまでも届かない。生と死の宙づり状態のなかで、主人公は日本が無条件降伏したことを知らされる。

夏休みのあいだも、二人の関係にこれといった進展は見られなかった。毎日のように会ってはいたが、キスをするチャンスさえたまにしかない。まして「肉体関係」などという抜き差しならぬ状況へ、いったいどのようにしてたどり着けばよいのか。ぼくは途方に暮れた気分で、「出発は遂に訪れず?」と呟いてみた。小説のなかに、「発進がはぐらかされたあとの日常の重さこそ、受けきれない」という主人公の述懐がある。まさにそういう心境だった。あの五月の動物園行きが悔やまれた。ホテルに足を踏み入れながら、何事もなく出てきてしまったことが、いまさらながら取り返しのつかないことに思えた。自分を滅びゆく種のように感じた。人間がまだ理性的な動物ではなかったころ、ぼくのように気の弱いオスは、きっと子孫を残すことなく死んでいったに違いない。

悶々《もんもん》としているうちにも、夏休みは半分ほど終わってしまった。二日に一度くらい、午後から学校のプールへ泳ぎにいった。顔見知りが何人も来ていた。ぼくたちは五十メートルの競争をして、勝ち負けによって、帰りにマクドナルドでハンバーガーを奢《おご》ったり奢られたりした。あるときプールで大木に会った。商業科の彼とは、普段はほとんど話をする機会がない。中学からはじめた柔道をあいかわらずつづけているらしく、いまではアーノルド・シュワルツェネッガーのような体つきになっている。

しばらく一緒に泳いだあと、プールサイドで日向ぼっこをした。近くに大きな楠《くすのき》が生えていた。ぼくは木の根元に寝そべって、働き者の蟻《あり》たちが巣にせっせと餌《えさ》を運ぶ様子を眺めていた。

「泳がないのか」大木がたずねた。

「蟻は何が楽しくて生きてるのかな」

「泳がないんなら、おれ一人で泳ぐからな」

「蟻の楽しみってなんだと思う」

「そりゃあ、死んだ虫や弱った虫を食べることだろう」

真面目な顔をして言ったのがおかしくて、思わず笑ってしまった。

「なんだよ」彼はちょっと気を悪くしたようだった。

「柔道は楽しいかい?」

「まあな」そのまま立ち去るのかと思ったら、大木はややためらって、「おまえ、広瀬と付き合ってるんだろう」と言った。

「まあな」とぼく。

「柔道部の先輩で狙《ねら》ってるやつがいるから、気をつけろよな」

「なんて名前?」

「立花《たちばな》ってんだけどな」

「ふざけた野郎だ」

すると大木は滅相もないという口ぶりで、「おまえぶっ殺されるぞ」と言った。「この前の夏祭のときに、映画館で因縁つけてきた水産高の連中を、三人ばかり半殺しにしたんだからな」

「怖いな」とぼくは言った。

空から降り注ぐ太陽の光が、プールの水面できらきら輝いていた。水色に塗られたプールの底で、透明な光の輪が閉じたり開いたりした。プールの端からの距離を知らせる黒いタイルが、水の下で揺らめいた。ぼんやりしていると、まわりの音は何も聞こえない。ただ静かな水の揺らめきがあるばかりだ。

「おまえさあ、広瀬とはどこまで行ってんの」しばらくして大木がまたたずねた。

「どこまでって？」

「つまり……やったのか？」

「柔道部は品がないね」ぼくは目を閉じて言った。

「真面目に心配してやってるんだぞ」憮然《ぶぜん》とした声が返ってきた。

「どういう心配だよ」

「まだなら早くやっちまえよ」彼の頭のなかにはそれしかないようだった。ぼくの頭のなかにも、まあ、それしかないのだけれど。「そしたら立花先輩だって、たぶん広瀬には手を出さないと思うんだ」

馬鹿みたいだ、と思った。手を出すだの出さないだの。「おれの女」とか「おれの彼女」とか抜かす連中には、虫酸《むしず》が走る。立花とかいう柔道部の低能も、アキのことが好きなら、本人にそう言えばいいのだ。ぼくがアキと「やった」ら手を出さないなんて、どういう理屈でそうなるのだろう。アキは誰のものでもないのに。彼女は彼女だけのものなのに。

「柔道部は単純だね」とぼくは言った。

「怒るぞ」大木はすでに半分くらい怒っているようだった。

「怒らないで」

彼は大きなため息をついて、「あのなあ、なんならおれが手筈《てはず》をととのえてやってもいいぞ」と言った。

「手筈って？」

「デートの場所とか状況とか。そこなら絶対に深い関係になれる」

ぼくは訝しげに目を細めて、「柔道部は女衒《ぜげん》もやってるんだ」

「なんだよそりゃあ」

「親切じゃん」

「おれが足の骨を折って入院したとき、おまえと広瀬が見舞いに来てくれただろう」大木はしんみりした声で言った。「あのときは嬉しかったよ」

「もうずいぶん前のことだな」

大木の台詞に、ぼくもちょっとしんみりしてしまった。そしてアキと城山を散歩したことを思い出した。二人ともしんみりしたところで、

「おれの話、聞きたいか」彼はあらためてたずねた。

「聞こうじゃないの」とぼくは言った。

「ここじゃあなんだな」彼はさり気なくあたりに目をやりながら、「マクドナルドなんかでどう?」

「マクドナルド?」

「腹も空《す》いたし」

「ぼくは別に空いてないけど」

「おれは空いたんだよ」大木は「おれ」のところに力を入れた。

ぼくはしんみりした気持ちから急速に立ち直りながら、「友情が金でやり取りされる悲しい時代だって、誰か言ってなかった?」

「聞いてない」と彼は言った。そして立ち上がると、「ビッグマックにポテトのLで手を打とうじゃないの」などとうそぶくのであった。

4

大木の家は海沿いの集落にあり、両親は真珠の養殖をやっていた。中学のころは五キロほどの道のりを、毎日自転車で通学していた。いまは柔道部の練習がきついからと言って、バスで通っている。ぼくは何度か友だちと大木の家に遊びにいったことがある。家の前はすぐに海で、テニスコートくらいの広さの養殖筏《いかだ》が浮かんでいる。そこでぼくたちは泳がせてもらったのだ。筏の先端は、岸から十メートル以上離れているので、底はまったく見えない。筏の渡り板の上で助走をつけ、何度も繰り返し海へ飛び込んだ。どれだけ遠くへ飛び込んでも、どれだけ深く潜っても、海は呆《あき》れるほど広く、怖いくらい深かった。腹が減ると、漁協からパンと牛乳を買ってきて、筏の上で食べた。それから再び泳いだ。筏の下には小さな魚たちが集まっている。ぼくたちは筏に付いている烏貝《からすがい》を採って、石で殻を割り、中身を取り出して魚釣りの餌にした。すると恐れを知らぬカワハギやメバルなどが喰いついてきては、夕食のおかずになった。

養殖をやっている家は、どこでも舟やボートを持っている。しかも四つ五つと所有しているのが普通で、なかにかならず一艘《そう》くらい遊んでいるものがある。大木の話によると、真珠の養殖は、貝に核を入れる四月から六月のあいだがいちばん忙しく、そのあとはわりと暇なのだそうだ。だから家にある船外機付きの小舟を、何時間か無断で借りてもまったく支障はない。きっと家の者は、舟がなくなっていることにさえ気がつかないだろうと言う。

大木の家から一キロほど沖に、夢島という小さな島が浮かんでいる。十年ほど前に地元の汽船会社が開発し、海水浴場や遊園地やホテルからなる総合レジャー施設のようなものを作ろうと計画した。ところが汽船会社に融資をしていた銀行の経営が思わしくなく、途中で開発計画から手を引いてしまった。銀行の支援を受けられなくなった汽船会社は、計画を一時凍結した。やがて汽船会社そのものが倒産したので、開発計画は完全に頓挫《とんざ》してしまった。

「島の施設はもうほとんど出来上がっているんだ」大木はフライドポテトを頬張《ほおば》りながら言った。「おれの家からは観覧車やジェットコースターが見えるよ」

「どこか他の会社がやりゃいいのにな」ぼくはコーヒーを飲みながら話を合わせた。「せっかくそこまで出来上がってるなら」

「開業すれば、毎年何億っていう赤字になるのは目に見えてるのさ」大木はもっともらしいことを言った。

ぼくは朽ち果てるがままになっている島の施設のことを考えた。小学校に入学したころには、毎年のように夢島の絵画コンクールが開かれた。子供たちから島の空想図を募集して、市長や汽船会社の社長たちからなる審査委員が金賞や銀賞を決めるのである。入賞者には自転車やファミコンといった豪華な賞品が贈られた。ぼくたちは未来都市のような島の絵を描いては応募したものだった。

「しかしなんにでも利用法ってのはある」大木はビッグマックにかぶりつきながらつづけた。「とくにホテルなんてものにはな」

思わず耳をそばだてた。彼はいわくありげに頷いて、

「いまでは島のホテルは、あのあたりで舟を持ってる若いもんの連れ込み宿になってんの

さ」と言った。「つまり金曜とか土曜の夜とかに、こっそり島に渡って、ホテルのベッドで女とやっちゃうわけだよ」

「本当か」ぼくは身を乗り出した。

「柔道部の連中と島へ釣りに行ったとき、ホテルのなかを探検してみたのさ。そしたらどの部屋も使い古しのコンドームだらけだったぜ」

「ふーん」と唸《うな》りつつ、ぬるくなったコーヒーを飲んだ。

「だからおまえも広瀬を島へ連れてってさ、一発やっちゃえよ」

「コンドームだらけの部屋でか？」

「しびれるだろう？」

しかし明るく清潔そうなビジネスホテル風のところでさえ拒絶したアキが、隠微な島の情緒を理解するだろうか。そんなところへ彼女を連れていけば、拒絶どころか気絶してしまうのではないだろうか。気絶してるあいだに、一発やっちゃうか？

「勝手に島に渡っていいのか。建物のなかに入ったりして」

「そりゃあ一応誰かの私有地なんだろうけど、管理人がいるわけじゃないしな」

「ホテルで村の若いもんとかち合うなんてのも嫌だな」

「大丈夫だよ。連中が利用するのはたいてい週末だから。火曜とか水曜に行けばいい」

「それで大木くんがぼくたちを島へ渡してくれるわけね」

「お代はほんの油賃だけでいいよ」

「今日からきみのことを渡し屋龍之介と呼んであげよう」

「交渉成立だな、色男」

「やだよ、おまいさん、色男だなんて」

などと言いながら、頭のなかではすでにアキを連れ出す口実を考えはじめていた。

5

朝の六時ごろに家を出て、バス停でアキと落ち合った。親にはキャンプに行くと言ってある。友だちの家の近くにキャンプのできる場所があり、すぐ前は海だから釣りや海水浴もできる、とかなんとか。緊急の場合はここに電話してくれればいい、と言って大木の家の電話番号を書いたメモを渡した。所在さえはっきりさせておけば、親は安心して細かくたずねない。それに大筋では、ぼくの話したことは嘘ではなかった。大木の家の近くでキャンプをすることにかんしては。

「大木くんの彼女って誰なの?」バスのなかでアキはたずねた。

「ぼくもよく知らないんだけど、商業科の人らしいよ」

「どうしてわたしたちを誘ってくれたのかしら」

「中学のとき、二人でお見舞いに行ったことがあったじゃない」

「大木くんが足の骨を折って入院してたとき?」

「うん。それがとても嬉しかったんだってさ」

「ずいぶんと義理堅いのね」

しかしバスが目的地に着くころには、その義理堅い大木くんの彼女は、急に都合が悪くなってキャンプに来られなくなっていたのである。

「残念だな」ぼくは極めて残念そうに言った。

「残念、残念」と大木は言った。

「しょうがないから三人で行こうか」

「行こう、行こう」

ぼくたちは真珠の筏に繋《つな》いである舟に荷物を積み込んだ。

「大木くん、荷物は?」アキがたずねた。

ぼくは厳しい目で大木を睨んだ。

「えっ?　おれは……」

「ああ、大木のぶんはぼくが準備してきたんだ」素早く言い繕った。「こいつは舟を貸してくれるから」

「そうそう、おれは舟の係なの」

荷物を積み込んでから、順番に舟に乗り移った。四人乗りくらいのグラスファイバー・ボートで、船尾に古ぼけた船外機が付いている。

「じゃあ行くぞ」大木が威勢よく言った。

「おまいさん、たのんだよ」とぼくは言った。

アキはなんだか釈然としない顔をして、舟の中央部に腰を下ろしている。まだ朝早いので、湾は白い霧で覆われていた。霧のなかに、養殖用の筏やプラスチックのブイが見えた。空を見上げると、霧を通して夏の朝の光が降り注いでいた。その光は、舟の舳先《へさき》が切り裂いていく水面から左右に飛び散る水しぶきを透明に輝かせた。沖に出ると霧が晴れた。一羽の鳶《とび》が、大きな輪を描いてぼくたちの上を旋回していた。ときどき漁から帰ってくる漁船とすれ違った。そのたびにアキは、船に向かって手を振った。漁船の漁師も手を振り返した。船外機を操縦している大木が、眩しそうに目を細めて彼女を見ていた。

島が近づいてくるにつれて、遊園地の観覧車がどんどん大きくなった。遊園地の手前は海水浴場で、海の家やシャワーなどの設備が見える。どの設備も、いまでは取り返しがつかないくらい傷み、錆《さ》びつき、雨と潮風のなかで朽ち果てようとしていた。すでに太陽は高く、ペンキの剝《は》げた観覧車の支柱が赤く光っていた。

遊園地の左手に船着場があり、背後の小高い丘に鉄筋の白いホテルが建っていた。船着場の橋脚も、やはり赤い鉄錆色だった。堤防や波よけのブロックはない。島自体が内海に浮かんでいるので、台風や時化《しけ》のときでもないかぎり海は静かだった。大木は船外機のスロットルを緩めて、ゆっくり船を桟橋に近づけた。船縁《ふなべり》から海のなかを覗き込むと、太陽の光が差し込む明るい水中を、青や黄色の小さな魚が群れをなして泳ぎまわっているのが見えた。桟橋から少し離れたところには、白いクラゲが幾つも浮かんでいた。

大木がボートの縁から手を伸ばして橋脚をつかんでいるあいだに、ぼくがまず桟橋によじ登った。大木の投げるロープを橋脚に結び付け、それからアキに手を貸した。荷物を下ろしてから、最後に大木が桟橋に上がった。ぼくは海水浴場の方へ行ってみようとアキを誘った。

「大木くんは?」アキがたずねた。

「おれは」彼はちらりとぼくの方を見た。

「釣りだろう」とっさに答えた。

「そう、釣りをしてるよ」

「彼は孤独を好む人だから」

海水浴場は島の南側なので、太陽は海の方から情け容赦なく照りつけてくる。木陰はどこにもない。波打ち際から少し離れた砂地に浜木綿《はまゆう》が生えていた。ときどき山の方から鳥の鳴き声が聞こえた。あとは海岸に寄せる波の音だけだ。

海の家は傷みがひどくて使えそうになかった。鉄の骨組みは赤黒く錆び、床に張られた木の板はところどころ腐っている。おまけにあちこちに船虫が群れていた。仕方がないので、シャワー室の裏で順番に着替えることにした。

ぼくたちはゆっくり沖へ向かって泳いでいった。アキは泳ぎが巧《うま》かった。顔を水面に出して、横向きにすいすい泳いでいく。ゴーグルで水のなかを覗くと、色とりどりの小さな魚たちが泳ぎまわっているのが見えた。ヒトデやウニもたくさんいる。辛うじて足の立つところでゴーグルを外し、アキに渡した。そこは彼女の背丈では深すぎたので、ゴーグルを付けるあいだ、ぼくが水中で身体を支えていた。彼女の胸が目の前にあった。水に濡《ぬ》れた白い肌が、太陽の光に輝いていた。

さらに沖へ出た。もう足は完全に立たない。ゴーグルで海のなかを見ていたアキが、立ち泳ぎをしながらゴーグルを外し、ぼくに渡した。

「すごい」と彼女は言った。

ゴーグルを付けて海のなかを覗いてみた。足の下で、海底がすり鉢状に落ち込んでいた。急角度の斜面は、水深を増すにつれてぼんやりしてきて、最後は光の届かない暗闇に呑み込まれてしまう。その様子は恐ろしくさえあった。

「ゲッ」とぼくは言った。

アキは微笑んだ。その唇に素早くキスをしようとした。うまくいかなかった。二人とも塩水をしこたま飲んで、海の上でむせた。むせながら声を出して笑った。アキはぼくと手をつないだまま、仰向《あおむ》けになった。ぼくも彼女に倣った。目を閉じて水の上に浮かんでいると、瞼《まぶた》の裏側が真っ赤だった。小さな波が耳を洗って音をたてた。そっと目をあけて横を見ると、アキの長い髪がまるで墨を流したように水面に広がっていた。

昼になったので桟橋へ戻った。そこでは大木が待っていて、打ち合わせどおり、いま舟の無線に家から連絡が入り、母親の具合が悪いということなので、自分はちょっと帰ってくると言った。

「わたしたちも一緒に帰りましょう」アキは相手を慮《おもんぱか》るように言った。

「いや」大木は顔を引きつらせて、「きみたちはここで釣りでもしながら待っててくれ。せっかく来たんだし。おれも夕方には戻ってくるから。具合が悪いったって、たいしたことはないんだ。もともと血圧が高いから。薬を飲んで、ちょっと横になってれば治ると思うから」

「それじゃあ気をつけて」ぼくは親身な早口で言った。

「わたしたちも帰って、お母さんの様子を伺った方がいいんじゃない?」アキはなおも辛気臭い顔をしている。「なんともないようなら、また戻ってくればいいんだから。もしお母さんの具合が悪い場合は、大木くんやお家《うち》の人に迷惑をかけることになるでしょう」

「そう、なるかな」

ぼくは生煮えの相槌を打って、祈るような気持ちで相棒の方を見た。大木の額からはすでに大粒の汗が流れ落ちている。

「夕方には兄貴が仕事から帰ってくる。そしたら手が空くから。おれだってこのキャンプ、ずっと楽しみにしてたんだ。夕方まで親孝行するんだから、夜ぐらいちょっと気晴らしに出たいよ」

「せっかくそう言ってくれてるんだから」最後まで言わずに、ぼくは物憂い表情でアキを見た。

彼女は大木の熱演にやや心を動かされたようだった。

「じゃあ残っていようか」

大木と思わず顔を見合わせた。彼の表情は放心し、目だけが「この野郎」と言っていた。ぼくはアキから見えないように、胸の前で小さく掌を合わせた。

それからの行動は、二人とも異様に迅速だった。大木としては、とにかく早く島を離れてしまいたい。ぼくもアキの気が変わらないうちに、彼を舟に乗せて送り出したかった。

「305号室」舟のロープを解きながら、大木は小声で言った。「この見返りは高いぞ」

「すまん、恩に着る」再び掌を合わせた。

大木の乗った舟が見えなくなったところで、ぼくたちは桟橋の上で弁当を食べることにした。アキは水着の上から白いTシャツを着ていた。ぼくは海水パンツだけだった。突然、いまこの島には自分とアキしかいない、という眩しい現実が脳を直撃した。身体の奥底から、得体の知れない欲望がわき起こってくるのを感じた。大木は明日の昼まで帰ってこない。

弁当の味も何もわからなかった。自分に与えられた自由の大きさに、立ちくらみを起こしそうだった。これからたっぷり二十四時間、ぼくは狼《おおかみ》になることも山羊《やぎ》になることもできる。ジキル博士からハイド氏まで、「ぼく」という人格の領域は広がっていた。そのなかで、たった一つの場所を選び取ることに、小さな恐れすら感じた。なぜなら選び取ったものだけが現実になり、それ以外は消えてしまうからだ。アキが目にするのは、無数の可能性のなかから選び取られた、ただ一つの「ぼく」だった。そんなことを分別臭く考えているうちに、当初の欲望は薄らぎ、かわりに奇妙な責任を感じた。

弁当を食べ終えてから、大木の置いていってくれた道具で釣りをした。青虫を針につけて放り込むと、たちまちベラやグレが喰いついてきた。最初は夕御飯にするつもりだったが、あまり無邪気に喰いつくので、なんだか可哀相な気がして、釣り上げるたびに逃がしてやった。そのうち逃がすのが面倒くさくなり、釣りそのものを止めてしまった。

桟橋の床に渡された厚い木は、太陽の熱を吸って暖かかった。そこに尻をついて坐っていると、心地よい眠りに連れ去られそうになる。海の方から涼しい風が吹きつづけているので、汗ばむことはなかった。ぼくたちはお互いの身体に、ＵＶカットの日焼け止めクリームを塗り合った。ときどき橋脚から海に下りて、足を海水に浸したり、頭に水をかけたりした。

「大木くんのお母さん大丈夫かしら」アキは気がかりな様子で言った。

「血圧がちょっと高いくらいだから、大したことはないんじゃないかな」

「でも無線で連絡が入るなんて、よっぽどのことじゃない」

アキについている嘘が、だんだん重荷になってきた。彼女と二人きりになると、かえって「肉体関係」のことやなんかが、どうでもよくなった。大木を巻き込んでの計略が、半ば成功したいまごろになって、急に幼稚で馬鹿げたことに思われた。そういう幼稚で馬鹿げている自分自身の姿が、どこか遠いところから眺められるような気がした。

アキがナップサックからトランジスタ・ラジオを取り出し、スイッチを入れた。「午後のポップス」の時間で、聞き覚えのある男女のディスクジョッキーの声が流れてきた。

——はい、毎日暑い日がつづいていますがね、えー、まあ夏ですから。それで今日は、夏の海辺で聴く曲の特集ということで。

——そうなんですよォ、電話でのリクエストも受け付けますからね。もうじゃんじゃんリクエストしちゃってくださいね。リクエストをいただいた方のなかから、抽選で十名の方に、特製のTシャツを差し上げちゃいますよォ。

——ということで、お葉書を紹介しましょうか。

——ハイ、風街のペンネーム「ヨッパ」さんからのお葉書です。「キヨヒコさん、ヨーコさん、こんにちは」こんにちは。「わたしはいま、お腹の病気で入院しています」へエー、そうなんですか。「毎日毎日、検査ばかりで嫌になってしまいます」うん、うん。「ひょっとすると手術しないといけないかもしれないんです。せっかくの夏休みなのにな。でも、長い人生。こういう夏も一度くらいあっていいのかも」そうですか、入院、大変ですね。

——ぼくもね、お腹の手術しましたよ。高校生のとき。盲腸なんですけどね。三日くらい入院したのかな。手術は嫌だけど、でもあっと言う間に終わっちゃいますからね。

——という経験者のお話でした。でも盲腸じゃねえ、少しは参考になったかしら。ヨッパさんの病気、重くなければいいな。元気を出して、早く良くなってくださいね。ではリクエストにおこたえして、曲はサザンオールスターズの「真夏の果実」。

「いつか朔ちゃんがわたしにリクエスト・カードを書いてくれたの、覚えてる?」曲の途中でアキが言った。

「覚えてるよ」

できるだけ触れられたくない話題だった。しかし彼女は懐かしそうに、「中学二年生のとき」と記憶を手繰った。

「曲は『トゥナイト』だったわよね。朔ちゃんたらものすごい嘘を書いて」

「アキに叱《しか》られたんだ」

「でも、いまはいい思い出。朔ちゃんはリクエストの葉書が読まれるように、あんな嘘を書いたんでしょう?」

「まあね」とぼくは言った。「あのころ、アキには高校生の恋人がいたんだろう」

「恋人?」彼女はうわずった声で振り向いた。

「バレー部の美形」

「ああ」ようやく思い当たったというように、「でもなんで朔ちゃん、そんなこと知ってるの」

「クラスの女の子が話してたから」

「しょうがないな。こっちが一方的に憧《あこが》れてただけなのに」

「憧れてた?」

「そう。まだ恋も何もわからない子供のころにね」

「ふーん」

彼女は窺うようにぼくの顔を見た。

「朔ちゃん、ひょっとして焼き餅《やもち》焼いてんの?」

「悪いかい」

「だって……中二のわたしに?」

「アキのブラジャーにまで嫉妬してしまうおれだぜ」

「いやだ」

遠くに目をやると、陸の方では大きな入道雲がもくもくと生まれつつあった。頭は白く輝いているが、胴体の部分は灰色で、下の方はほとんど真っ黒だった。遠くの空でゴロゴロと雷が鳴っていた。海の方から湿りけを含んだなま暖かい風が吹いてきた。入道雲はゆっくり空全体を覆いながら、こっちに向かっているようだった。真っ青だった海の色も、いまでは鼠色《ねずみいろ》がかっている。

「大木くん、戻ってこないね」アキがちょっと心配そうに言った。

危うく本当のことを打ち明けそうになった。素直に謝って、重苦しい気持ちをすっきりさせたかった。そのとき空から大粒の雨が落ちてきた。最初はゆったりとした間隔だったのが、メトロノームの錘《おもり》を下げていくように、雨の落ちてくるテンポはどんどん速くなり、最後はホワイトノイズのようになった。

「いい気持ち」彼女はうっとりした声で呟いた。それから顔を空に向けて、額を雨に打たせた。「こうなる予定だったんでしょう?」

ぼくは振り向いた。彼女の頬で雨が弾《はじ》けた。

「最初の計画では四人でキャンプへ行くことになっていた。でも当日、大木くんの彼女は都合で来られなくなる。つぎに大木くんのお母さんの具合が悪くなる。島にはわたしたちだけが残される」

もはやこれまでと思った。

「ごめん」アキの方へ向き直り、神妙に頭を垂れた。

雨が強まったようだった。橋脚を洗う波が高くなった。彼女はあいかわらず目を閉じて、顔を雨に打たせている。

「しょうがないな」やがて母親みたいな口調で言った。「それで舟はいつ来るの?」

「明日の昼ごろ」

「まだずいぶん時間があるのね」

「あの、それまでアキが嫌がるようなことは、絶対にしないから」

彼女は答えずに、ただ雨に濡れているナップサックや、食材の入ったクーラーボックスをぼんやり見ていた。

「とにかく荷物を運びましょう」そう言って、ようやく立ち上がった。

6

遠くから見たときにはまだ新しく見えたホテルも、近くから見ると塗装が剝げかかって、ほとんど廃墟《はいきょ》のようになっていた。正面に巨大な蘇鉄《そてつ》が植わり、その後ろを緩やかなスロープが玄関までつづいている。ぼくたちは足を止め、あらためて四階建てのホテルを見上げた。怪奇映画のロケーションに使われてもおかしくはないような雰囲気だ。自動ドアには板が打ちつけられていたが、その一部分は剝がされて、人がどうにか入れるくらいの通路になっている。逢《あ》い引《び》きの場所というよりは、麻薬の取り引き場所か、密航者の隠れ家といった方がふさわしい。

一階にはロビーとサロンの他に、レストランや厨房《ちゅうぼう》があった。レストランの隅には、テーブルと椅子《いす》が積み重ねてある。ロビーを抜けて、階段をゆっくり登っていった。二階から上が客室になっていた。焦げ茶色の厚い板に把手《とって》の付いたドアが、廊下の片側に行儀よく並んでいる。廊下と階段には細かい砂がたくさん溜まり、サンダルの裏で擦ると、ざらざらという音がした。

大木は「305号室」と言った。つまり彼は、ぼくたちが海で泳いでいるあいだに、その部屋を片づけておいてくれたのである。使い古しのコンドームやなんかがアキの目に触れないように。もちろんギャランティーは支払う約束だった。金額は決めていないけれど、ビッグマックにフライドポテトというわけにはいかないだろう。なんだかサラ金で首がまわらなくなった、中小企業の社長みたいな気分だった。

廊下のなかほどに一箇所、大きく窓の割れたところがあり、そこから裏山の斜面に生えている木が、建物のなかまで侵入していた。木は廊下の天井に枝を広げ、青々とした葉を繁らせている。このぶんでは、ホテル全体が植物に乗っ取られてしまうのも時間の問題だろう。

指定された305号のドアをあけると、いきなり巨大なダブルベッドが目に飛び込んできた。ベッドは部屋の中央に、生々しく置かれている。なんだか見てはいけないものを見てしまったような気がして、思わず目をそむけた。といっても部屋にはベッドの他に何もない。二人とも目のやり場に困って、意味もなく床を見たり天井を眺めたりした。何か言うべきなのだけれど、言葉が出ない。沈黙に身体がこわばった。口のなかに溜まった唾《つば》を呑み込む音さえ気になった。

「とりあえずここに荷物を置いて、ホテルのなかを見てこようか」ようやくそれだけのことを言うと、

「そうね」アキはほっとしたように頷いた。

ぼくたちは一階の厨房に行ってみた。そこにも裏山の植物は侵入し、あちこちに小さな茂みをつくっている。二人とも海水で身体がべとべとしていた。俄雨《にわかあめ》に打たれたくらいでは、完全に洗い流すことはできなかったらしい。厨房の水道をひねってみたけれど、水は出なかった。

「水がないと、夕御飯の支度もできないわよ」アキは咎めるように言った。

「大木の話だと、ホテルの裏に井戸があるらしいんだけど」ぼくの方は言い訳するような口調になっている。

勝手口のドアは紛失していた。いつのまにか雨は上がり、裏山から差してくる夕日が、

厨房の床に力なく影を落としている。山はホテルのすぐそばまで迫っていた。斜面には、下の土がまったく見えないくらいの雑草が、燃え立つように生い茂っていた。雑草も蔓《つる》草《くさ》も灌木《かんぼく》の茂みも、何もかもがひしめき合っている。

野ばらにヨモギやドクダミが絡み合った上を、二匹のアゲハチョウが互いに追いつ追われつしながら飛んでいた。その少し先に、古い石の水槽があった。半ば草に埋もれかけているので、うっかりすると見落としてしまいそうだ。草のなかからプラスチックのパイプが突き出し、口から透明な水が溢れていた。きっと山の清水を引いたものだろう。水槽に手を突っ込んでみた。水は冷たくて気持ち良かった。

「ここで身体を洗おう」ぼくは言った。

アキはまだ水着の上に白のTシャツを着ている。

「ちょっとタオルを取ってくるよ」

「ええ」彼女は当惑したようにあたりを見まわした。

三階の部屋まで上がり、タオルや着替えの入ったビニール・バッグを持って戻ると、アキは水槽の横に裸で後ろ向きに立っていた。それは不思議な光景だった。夕日は裏山の蔭《かげ》に姿を隠している。薄暗い雑草の茂みのなかから、真っ白な裸体がぼんやりと浮かび上がっている。ぼくは夢を見ているような心地で、しばらく彼女の後ろ姿を眺めていた。

「何をしてるの?」

「だって」彼女は後ろを向いたままで、「タオルがないじゃない」

「あとのことを考えずに裸になっちゃったのかい」

ぼくは笑いながら彼女の肩にバスタオルを掛けた。

「ありがとう」

アキは手早く身体を拭《ぬぐ》い、胸のところにタオルを巻き付けた。タオルは思ったほど大きくはなく、膝のかなり上の方までしかない。

「あまり見ないでよ」と彼女は言った。

水槽のなかには茶色っぽい緑の水草がびっしり生えて、それが細い髪の毛の束のようにゆらゆら揺れていた。タオルを水槽に浸して身体を洗った。きつく絞ったタオルで身体を拭《ふ》いていると、厨房の入口からアキがこっちを見ていた。

「いたのかい」

彼女は遅ればせに目を伏せた。

「バスタオルがいるんじゃないかと思って」

「どうも」ぼくは後ろ向きにタオルを受け取った。

山の好きな父から、コンロやコッヘル、スプーンセットなどを借りてきていた。夕食はぼくが担当することになっている。メニューは「必殺うな玉丼《たまどん》」である。まずペットボトルの水を沸かして農協ご飯に注ぐ。これで十分後にはご飯が出来上がる寸法だ。そのあいだに、ささがきにしたゴボウを水に晒《さら》しておく。長ネギとレトルトパックのうなぎを小口に切る。コッヘルにゴボウを敷き、水とタレを入れる。火にかけて、沸騰したらうなぎと長ネギを入れて煮込む。溶き卵をかけ、蓋をして火を止め、しばらく蒸らす。これを器に盛ったご飯に乗せて、ハイ、出来上がり。永谷園の「ゆうげ」を添えれば、立派な一汁一菜である。

アキは野菜スティックとフルーツの盛り合わせを作った。手間がかかるわりに、野外調理の醍醐味《だいごみ》が感じられないメニューである。暗くなってきたので、これも父に借りてきたランタンに灯をいれた。食事のあいだ、ラジオをFM局に合わせておいた。洋楽のリクエスト番組で、長い名前のバンド特集をやっていた。レッド・ホット・チリ・ペッパーズ、エブリシング・バット・ザ・ガール、アフリカ・バンバータ・アンド・ソウルソニック・フォース。

食事を終えると、トイレットペーパーで食器を拭き、ゴミはまとめてビニール袋に入れた。それからランタンを持って三階の部屋に上がった。水浴びをするときにお互いの裸を見てしまったせいか、今度はそれほど気詰まりな雰囲気にはならなかった。腹がいっぱいで、ヨコシマなことを考えるのが面倒くさくもあった。それでヘッドボードを背もたれにして、英単語クイズをすることにした。片方が日本語を言って、もう片方が英語で答える。相手が答えられなかった単語を答えたら、一ポイントということになる。

「迷信」とアキがたずねた。

「スーパースティション」ぼくは即座に答えた。

「ちょっと易しかった？」

「ちょっとね。それじゃあ、妊娠」

「妊娠？」

アキは目をまるくしてぼくを見た。

「わからない？」

「うん」

「コンセプション」

「ああ、そうか」

「つぎはアキの番だよ」

「ええと……同情、共感」

「シンパシー」再び即答。「いまSではじまる単語を覚えてるのかい」

「まあね。でも朔ちゃん、よく知ってるね」

「両方ともロックの曲名で覚えたんだ。スティーヴィー・ワンダーとローリング・ストーンズ」

「ふーん」

さらに問題はつづく。

「勃起《ぼっき》」

「何よ、それ」

「だから勃起だよ。英語で勃起をなんていうでしょうか」

「妊娠とか勃起とか、そういう単語は知らなくてもいいんじゃない」アキは怒ったように言った。

ぼくの方はあくまで冷静に、「コンセプションには概念という意味もあるんだよ」と説明をはじめた。「勃起はイレクション。RをLにすると投票っていう単語になる。ジェネラル・イレクションは総選挙。でもLとRを間違えると、将軍の勃起になってしまう。そういう恥ずかしい間違いを、アキちゃんがしてはいけないと思って」

「そういうの、どこで覚えるわけ?」彼女はなおも不審そうに、「妊娠とか勃起とか」

「辞書で引いて覚えるわけ」

「好きこそ物の上手なれね」

「ちょっと違うような気がする」

「全然違わないような気がする」

諍《いさか》いになることを嫌い、ぼくたちはお喋りをやめて窓の外に目をやった。もちろん真っ暗で何も見えない。

「でも、こうやって英語の単語とか覚えて、なんになるのかな」アキはひとりごとみたいに言った。「女性の大学進学率の増加と、離婚率の増加は比例してるんですって。勉強するほど不幸になるのって、なんかおかしい気がしない？」

「離婚したから不幸ってわけでもないだろう」

「そりゃあそうだけど」しばらく間を置いて、「幸せになるために、わたしたちは生きてるはずなのに。勉強も仕事も、幸せになろうと思ってしているはずなのに」

ラジオでは長い名前のバンド特集がつづいていた。時代は遡り、いまはクイックシルヴァー・メッセンジャー・サーヴィスやクリーデンス・クリアウォーター・リバイバルやビッグ・ブラザー・アンド・ホールディング・カンパニーといったバンドの曲がかかっている。

夜が更けるとまた雨が降った。雨はホテルの窓や庇《ひさし》を打って、騒々しい音をたてた。ぼくたちはベッドの上に寝ころんで、ぼんやり雨の音を聞いていた。目を閉じて雨音に耳を澄ますと、ものの匂いが強くなった。雨そのものの匂い、裏山の土や植物の匂い、床に降り積もった埃の匂い、剝がれかかった壁紙の匂い。それらが幾重にもぼくらを取り巻いているようだった。

疲れているはずなのに、いつまでも眠くならなかった。そこで順番に子供のころの話をすることにした。まず最初にアキが話しはじめた。

「幼稚園を卒園するとき、園庭にタイムカプセルみたいなものを埋めたの。新聞とか、みんなで撮った写真とか、それに作文。平仮名ばかりで、大きくなったら何になりたいかって、将来の自分の夢を書いたやつ」

「なんて書いたの？」

「それが覚えてないの」彼女はちょっと残念そうに言った。

「お嫁さんになりたいとか」

「そんなところかもね」アキは小さく笑い、「掘り出して、ちょっと見てみたいな」と言った。

今度はぼくの番だ。

「おばあちゃんが元気だったころ、うちに出入りしてる按摩《あんま》さんがいてね。六十歳くらいの人で、生まれつき目が見えないということだった。あるとき、その人がぼくにこうたずねた。坊ちゃん、雨ってのは一つ一つ粒になって降ってるんでしょうかねえ、それとも長い糸みたいにして降ってるんですかねって。生まれつき目が見えないから、わかんないんだよ」

「そうか」アキは納得したように頷き、「それで朔ちゃんはなんて答えたの？」

「粒だよって。するとその人は、粒ですかって、妙に感心しちゃってさ。子供のころからずっと不思議に思ってたんだって、雨は粒なのか、糸なのか。今日は坊ちゃんのおかげで一つ賢くなったとか言ってた」

「『ニュー・シネマ・パラダイス』みたい」

「でも、いま考えるとへんだよ」

「どうして?」

「そんなにずっと疑問に思ってたなら、なぜ早く誰かにたずねなかったんだい? 六十歳になるまで我慢せずにさ。どうしてわざわざぼくにたずねたんだろう」

「きっと朔ちゃんを見て、急に思い出したのよ、小さいころの疑問を」

「それとも雨の日には、あちこちで同じことをたずねていたとか」

雨はあいかわらず降りつづいていた。

「みんな心配していないかしら」アキが言った。

「警察に捜索願いを出してるかもな」

「朔ちゃんは家の人になんて言ってきたの?」

「友だちのところでキャンプするって。アキは?」

「わたしもキャンプ。友だちを共犯者にして」

「その友だちは信頼できる人?」

「たぶん。でも、こういうの嫌だわ。いろんな人に迷惑をかけるから」

「ああ、そうだね」

アキは身体を横にして、ぼくの方を向いた。そして唇に軽くキスをした。

「急がずに、ゆっくり一緒になっていきましょうね」

ぼくたちは抱き合ったまま目を閉じた。シーツの代わりに敷いたタオルケットの下で、小さな砂がかさこそ音をたてた。


夜中に目が覚めると、ラジオ放送はすでに終わっていた。芯《しん》を短くしておいたランタンも、いつのまにか消えている。ぼくはベッドから下りてラジオのスイッチを切った。部屋のなかにはランタンの熱がこもっていた。窓をあけると、潮の匂いとともに、ひんやりとした外の空気が入ってきた。夜はまだ明けそうにない。いつのまにか雨は上がり、雲が晴れた空に星がたくさん出ていた。近くに明かりがないせいか、星は釣り竿《ざお》の先でつっけそうなほど間近にあった。

「波の音が聞こえるね」アキの声がした。

「起きてたの?」

彼女は窓辺にやって来て外を眺めた。暗い海を隔てて、対岸の明かりが小さく見えた。

「どのへんかしら」

「小池か石応《こくぼ》のあたりじゃないかな」

寄せては返す波の音が聞こえていた。波は海岸の石を転がし、引くときにごろごろという大きな音をたてた。

「どこかで電話が鳴ってない？」ふとアキが言った。

「まさか」

ぼくは耳を澄ませた。

「ほんとだ」

テーブルの上に置いてある懐中電灯を手に取った。それから二人で部屋を出た。廊下は真っ暗だった。懐中電灯の光が、突き当たりの壁をぼんやり照らしだしていた。その少し手前の部屋で、電話は鳴っているようだった。足音をひそめるようにして、ゆっくり歩いていった。電話はあいかわらず鳴りつづけている。部屋には近づいているはずなのに、音の方は一向に近づいてこない。

不意に音がやんだ。電話をかけてきた人が、留守だと思って受話器を置いたみたいだった。ぼくたちは無言で顔を見合わせた。懐中電灯の光で周囲を照らしてみた。そこは廊下の窓が割れて、裏山の木の枝が侵入してきている場所だった。頭の上で、蔓のからまった太い枝が葉を茂らせている。枝に光を当てると、一匹のカナブンが樹皮の上を這っているのが見えた。割れた窓から顔を出し、懐中電灯の光を外に向けた。ほんの四、五メートル先まで、山の斜面が迫っている。そのときアキが、

「蛍」と呟いた。

彼女が見ている方に目を凝らすと、草のあいだに小さな光がある。最初は一つしか見えなかったが、よく見ると、あっちでもこっちでも光り交わしている。見ているうちに、その数はどんどん増えていった。

百や二百ではきかないくらいの蛍が、雑草や灌木のあいだで点滅を繰り返していた。葉の上にとまっていたのが、ふわっと舞い上がり、二匹三匹と連れ立っては、また草のなかに隠れてしまう。数は多いけれど、飛び方はひっそりとしていた。群れ全体が風に乗って漂っているようでもあった。

「明かりを消して」とアキが言った。

いまではぼくたちは、彼らと同じ暗闇のなかにいた。一匹の蛍が、群れを離れてこっちに飛んでくるのが見えた。かすかな明かりをともしながら、蛍はゆっくり近づいてくる。窓の庇のところで、しばらく宙にとどまった。ぼくは掌を上にして近づけた。すると蛍は、警戒するように少し後ろに遠ざかり、裏山から伸びている枝先の葉にとまって身体を休めるようだった。ぼくたちは待った。やがて再び飛び上がると、蛍はゆっくりアキのまわりを旋回し、それから雪のひとひらが落ちるように、そっと彼女の肩にとまった。まるで蛍の方が彼女を選んだみたいだった。何かの合図を送っているかのように、二度、三度と光って見せた。

ぼくたちは息をひそめて蛍を見ていた。数回光ったのち、蛍は静かに彼女の肩を飛び立った。今度はやって来るときのようなためらいはなく、真っ直ぐに仲間たちのいる裏山の茂みの方へ飛んでいった。ぼくは目を凝らして蛍の姿を追いつづけた。ほどなく蛍は群れのなかに戻った。仲間たちのあいだを飛び交い、たくさんの小さな光に紛れてわからなくなった。

第三章

1

ぼくたちが修学旅行から帰ってきたころ、アキには「再生不良性貧血」という病名がついていた。骨髄の働きが弱っているという医者の説明を、彼女は信じているようだった。もちろんぼくにも、疑う理由はなかった。

感染を防ぐために、看護婦からガウン・テクニックを指導された。まず廊下に置いてあるロッカーのなかのガウンとマスクを着用する。つぎに履いてきた靴を専用のスリッパに履き替える。病室の入口で手を消毒し、ようやく入室することができる。

彼女はガウンにマスク姿のぼくを見るたびに、ベッドの上で笑いころげた。

「だって全然似合ってないんだもん」

「しょうがないだろう」ぼくは憮然として、「だいたいアキの骨髄が怠けて、ちゃんと白血球を造らないから、こういうことになるんだ」

「学校の方はどう?」彼女は話題を変えるように言った。

「あいかわらずだよ」投げやりに答えた。

「そろそろ中間テストでしょう」

「そのようだね」

「勉強は進んでる?」

「まあね」

「早く学校行きたいな」彼女は窓の外に目をやって呟いた。

看護婦さんが病室のドアから顔を出して、変わりはないかとたずねた。ぼくにも笑って挨拶をした。毎日来ているので、ほとんどの看護婦さんに顔を覚えられていた。検査などは、たいてい午前中に終わっている。夕食までの静かな時間だった。

「キスしてないかどうか、監視してるのよ」看護婦さんがいなくなってから、アキは小声で言った。「このあいだ婦長さんから注意されたの。いつも見舞いに来てくれてるボーイフレンドと、キスなんかしちゃだめよって。バイ菌がうつるから」

一瞬、自分の口のなかにうようよしている細菌を思い浮かべた。

「なんだか嫌な感じだな」

「したい？」

「別に」

「してもかまわないわよ」

「うつったらどうしよう」

「洗面台にわたしの使ってるうがい薬があるから、それでよく口を漱《すす》いでね」

ぼくはマスクを下ろして顎《あご》に引っかけ、イソジンガーグルで念入りに口を漱いだ。それからベッドの端に腰を下ろして向かい合った。はじめてキスをしたときのことを思い出した。無菌状態のなかでキスを敢行することは、最初のとき以上の緊張を要した。ぼくたちはそっと唇を重ねた。

「うがい薬の味がする」と彼女は言った。

「今夜熱が出たら、ぼくのせいにされるな」

「でもよかった」

「もう一度する？」

ぼくたちは再び唇を合わせた。手術着のような薄緑のガウンを着用し、口内洗浄ののち執り行われる接吻《せっぷん》は、なんだか厳粛な儀式のようだった。

「来年の梅雨には城山にアジサイを見にいこう」とぼくは言った。

「中学二年生のときの約束ね」アキは遠くを見るように目を細めた。「三年しか経っていないのに、もうずいぶん昔のことのような気がする」

「いろんなことがあったから」

「ほんとね」

アキはぼんやりと物思いにふけるような表情になった。それから、「まだ半年以上もあるのか」と呟いた。

「それまでにゆっくり病気を治せばいい」

「ええ」彼女は曖昧《あいまい》に頷き、「でも長いな。こんなことになるなら、元気なうちに見にいっとけばよかった」

「もう元気にならないようなことを言うんだね」

答えるかわりに、アキはただ寂しそうに微笑んだ。


ある日、病院へ行くと彼女は眠っており、付添いの母親もいなかった。ぼくは傍《かたわ》らから寝顔を眺めていた。貧血のために顔は青白かった。病室の窓にはクリーム色のカーテンが引かれている。アキは目を閉じたまま、外の光を避けるように、窓とは反対の方へ軽く顔を向けていた。カーテン越しに射し込んだ光が、蝶《ちょう》の鱗粉《りんぷん》のように部屋のなかを飛びまわっていた。光は彼女の顔にも落ち、その表情に穏やかな陰影をつけた。ぼくは何か珍しいものでも見る思いで、寝顔を眺めつづけた。すると穏やかな眠りのなかから、目に見えないくらい小さな死が、芥子粒《けしつぶ》のように浮かび上がってきそうな不安にとらわれた。写生の時間に、明るい太陽の下で画用紙をじっと見つめていると、真っ白い画用紙が、本当はとても小さな黒い点で覆われているような気がしてくる。ちょうどそんな感じだった。

「アキ」

名前を呼んだ。何度か繰り返し呼んでみた。すると彼女は、自分の名前を求めて小さく身じろぎをした。それから何かを払い除《の》けるように、首を左右に動かした。顔を覆っていたものが、一枚ずつ剝がれ落ちていった。表情にうっすらと生気が戻り、小鳥が囀《さえず》るようにして瞼が開いた。

「朔ちゃん」アキは意外そうに呟いた。

「気分はどう?」

「少し眠ったから、だいぶ良くなった」

ベッドに起き上がり、椅子の背に掛けてあるカーディガンを取って、パジャマの上から羽織った。

「午前中はすごく落ち込んでたの」彼女はかすかに荒廃の名残りをとどめた目でそんなことを言った。「自分が死ぬことやなんかを考えて。朔ちゃんと永遠に別れなければならないんだってわかったら、いったいどんなふうになってしまうだろうって」

「馬鹿だなあ、そんなことを考えるもんじゃないよ」

「そうね」彼女はため息をつき、「なんだか気が弱くなってしまったみたい」

「病院は寂しい？」

「ええ」小さく頷いた。

言葉が途切れると、沈黙が重たく感じられる。

「自分がこの世にいないってどういうことなのか、見当もつかない」やがてアキはひとりごとみたいに言った。「命が限られているのって、なんだか不思議な気分ね。当たり前のことなんだけど、普段は当たり前のことを当たり前と感じずに生きているから」

「楽しいことだけ考えなきゃだめだよ。病気が治ったときのこととか……」

「朔ちゃんと結婚することとか？」話題を繋ぐというよりも、むしろ切り上げるような言い方だった。

「口を漱いでこようかな」ぼくが言うと、ようやく微笑んだ。

あいかわらず見舞いに行くたびに、看護婦さんの目を盗んで短いキスをしていた。それはぼくにとって、自分が生きていることの証《あかし》のようなものだった。感染のために熱が出ることもなかったので、このささやかな儀式をずっとつづけるつもりでいた。「このごろシャンプーをすると髪がたくさん抜けるの」彼女は言った。

「薬の副作用？」

アキは黙って頷いた。

「なんだか悲しい」

ぼくは思わず彼女の手を取った。こういう場合、何と言えばいいのかわからない。苦し紛れに、

「たとえ禿《はげ》になってもアキのことが好きだよ」と言ってみた。

彼女は目をまるくしてぼくの方を見た。

「そんなにあからさまに言うことはないんじゃない」

「ごめん」素直に謝った。それから言い訳みたいに、「古文のあからさまって、にわかにとか、ついちょっとって意味なんだよね」

するとアキは突然、ぼくの胸に顔を押し当ててきた。そして小さな子供のように、声を上げて泣きはじめた。予期しない出来事だった。ぼくは驚き、途方に暮れた。彼女が泣くのを見るのははじめてだった。情緒不安定が病気によるものか、それとも治療に使われている薬の副作用によるものなのか、わからなかった。ただ、ぼくはそのときはじめて、病気の重大さをぼんやりと実感した。

2

アキの顔が目立って痩せてきた。吐き気のためにご飯が食べられない。一日中気分が悪く、食べ物を見ることはおろか匂いさえ嗅げない。ひどいときには、配膳《はいぜん》ワゴンの音を聞いただけで気持ちが悪くなる。吐き気止めの薬を出してもらっているが、ほとんど効果がないようだった。治療のためによほど強い薬を使っていることは想像できたが、それが「貧血」と結びつかない。いったいいなんの治療をしているのだろう。

医学辞典で「再生不良性貧血」の項目を調べてみた。骨髄での造血が不良になるために起こる貧血と書いてある。たしかにアキが医者から受けている説明と同じだ。治療法は輸血やステロイドホルモン剤の投与とある。ふと、つぎのページの項目に目がとまった。「白血病」と書いてあった。中学二年生のときに書いたリクエスト葉書のことを思い出した。ひょっとするとあのときの心ない悪戯《いたずら》が、いまアキの身に現実の苦しみとして降りかかっているのではないだろうか。ぼくはすぐにこの不合理な思いを打ち消した。そして医学辞典の記述を読みはじめた。しかし未来を反復しているような後悔は、いつまでも心のなかに残った。

アキが心配していたように、髪の毛が抜けはじめた。髪が長いだけに、抜け落ちたところが余計に目についた。治療が長引くにつれて、彼女はますます精神的に落ち込むようになった。

「薬が効いてないんじゃないかと、不安でたまらないの」と彼女は言った。「だってこんなに副作用が強いのに、薬が効いてないとすれば、わたしの病気に効く薬なんてありっこないわ」

「いまはどんな病気でも、たいてい治ってしまうんだよ」ぼくは医学辞典の記述を思い浮かべながら言った。「とくに子供の病気はね」

「十七歳は子供？」

「まだ十六だろう」

「もうすぐ十七よ」

「どっちにしても子供と大人の中間くらいだな」

「じゃあ治るのと治らないのと半々ね」

言葉が途切れた。

「いまはアキの病気に合う薬を見つけてるところかもしれないよ」

「そうかしら」彼女は半信半疑の顔を上げた。

「小学校のとき肺炎になって入院したことがあるんだ。あのときも薬がなかなか効かなかった。いろいろ試してみて、ようやく効果のある薬が見つかったんだ。そのあいだうちの両親は、ぼくが死ぬんじゃないかって、ずいぶん心配したらしいよ」

「わたしも朔ちゃんみたいに、早く薬が見つかるといいんだけど。このぶんじゃあ、薬が見つかる前に、身体の方がまいってしまいそう」

「代わってあげられるといいんだけどね」

「実際にこの辛さを体験したら、そんなこと言えなくなると思うわ」

部屋の空気にピリッとひび割れが走ったようだった。

「ごめんなさい」アキは消沈した声で言った。「わたしがいちばん恐れなくちゃならないのは、病気が治らないことじゃなくて、病気のせいで性格が悪くなってしまうことかもね。自分がいままでの自分ではなくなって、朔ちゃんにも嫌われてしまったら、わたしはどうすればいいのかしら」


つぎの日、アキは薄桃色のニット帽を被《かぶ》ってぼくを迎えた。

「どうしたのさ、その帽子」

彼女は悪戯っぽく笑いながら帽子をとった。ぼくは思わず息を呑んだ。まるで別人のようだった。髪を短く切ったせいだ。一晩のうちにアキの髪形は、ショートカットというよりも丸刈りに近い感じになっていた。

「わたしがたのんで、この髪にしてもらったの」彼女は自分から口を開いた。「治療が終われればまた生えてきて、元通りになるんですって。しょうがないよね。それまでは頑張って治療に専念するしかなさそう」

「覚悟をきめたわけだ」

「髪が抜けてしまっても、わたしのこと嫌いにならない？」

「なるわけないだろう」

アキはぼくの口調に気後れしたかのように口を噤んだ。

「尼僧ってあるでしょう」しばらくして彼女は言った。

「尼さんのこと？」

「病気になる前に考えてたの。もし朔ちゃんがわたしを置いて死んでしまったら、そのときは尼寺に入ろうって」

「とんでもないことを考えるんだね」

「だって朔ちゃん以外の人と結婚して、子供とか生まれて、お母さんになって歳をとっていくなんて、想像できないもの」

「ぼくだってアキ以外の人と結婚して、子供が生まれて、お父さんになるなんて想像できないよ。だから元気になってもらわないと困るのさ」

「そうね」彼女は掌でこわごわと自分の頭を撫《な》でた。「似合う？」

髪を短くしたころから、アキの吐き気がおさまりはじめた。身体が薬に慣れてきたせいかもしれない。治療にたいして前向きになったことで、精神的に安定したのかもしれない。あいかわらず食事らしい食事はとれなかったが、果物やゼリー、オレンジジュース、それに少量のパンなどは食べられるようになった。また少しずつなら、本も読むことができるようになった。彼女はアボリジニの世界観や伝統的な生き方に興味をもっていた。

「植物を採取する前にかならず手をかざすんだって」アキは本で仕入れた知識を伝授するように言った。「するとわかっちゃうの。これは育っている途中だから食べるのはまだ早いとか、命を与える準備ができているから食べてもいいとか」

ぼくはアキの顔の前に手をかざした。

「これは育っている途中だから食べるのはまだ早い」

「真面目な話よ」

「アボリジニの食べ物ってなんだと思う？」

「鳥とか魚とか、木の実、果物、植物……」

「カンガルー、トカゲ、蛇、鰐《わに》、芋虫なんてのも、あまり食べたくないな」

「何が言いたいの？」

「アボリジニになっちゃうと、プッチンプリンやダイジェスティブ・ビスケットは食べられなくなる」

「どうしてそんな物質的なことばかりに目を向けるわけ？」

「アボリジニって、みんながみんなアキが考えてるほどいい人たちには見えなかったよ」ぼくは実際に目にした事実を口にした。「なんだか自堕落で不健康そうに見える人もいたな。昼間から酒は飲むし、観光客に金はせびるし」

するとアキは腹を立てたように、「それは彼らが虐げられた人たちだからよ」と言った。そのまま長いあいだ口をきかなかった。

現実のアボリジニが問題ではないのだ、と病院を出てからぼくは思った。彼らの生き方や世界観は、アキが自分の存在をそこに重ね合わせたいと思う理想であり、一つのユートピアだった。あるいは希望であり、苦しい病気のなかで生きることの意味だった。

「彼らは地上のすべてのものは、理由があって存在すると信じているの」別のとき、アキは言った。「宇宙のあらゆるものに目的があって、突然変異や偶然はありえない。そんなふうに見えるのは理解が足りないからだって。つまり人間にそれを理解するための知恵が欠けているのね」

「無脳症の赤ん坊にも理由があるのかな」とぼくは言った。

「何よ、それ」

「生まれつき脳のない赤ん坊だよ。彼らの心臓を重い心臓障害で苦しむ子供たちに移植しようという計画があるんだってさ。それは無脳症の赤ん坊が生まれることの理由を見つけたことになるんだろうか」

「ちょっと違うような気がする。理解することは利用することじゃないもの」

貧血がつづいているため、アキは青白い顔をしていた。あいかわらず輸血も受けていた。髪はほとんど抜けてしまっていた。

「人の死にも理由があると思う?」ぼくはたずねた。

「思うわ」

「ちゃんとした理由や目的があるのなら、どうしてそれを避けようとするんだろう」

「まだわたしたちが死をうまく理解できていないからよ」

「いつか天国の話をしただろう。アキはあの世や天国を信じないと言ってたじゃない」

「覚えてる」

「人の死に意味があるのなら、あの世や天国もあることにしないと辻褄《つじつま》が合わないいんじゃないかな」

「どうして?」

「だって死んでしまえば、みんなおしまいなわけだろう。そのあとがなければ、死ぬことに意味なんてありえないもの」

アキは窓の外へ目をやって、ぼくの言ったことについて考えているようだった。こんもり繁った城山の木々のあいだから、天守閣が白い顔を覗かせていた。その上を数羽の鳶が舞っている。

「わたしはね、いまあるもののなかに、みんなあると思うの」ようやく口を開くと、彼女は言葉を選ぶようにして言った。「みんなあって、何も欠けてない。だから足りないものを神様にお願いしたり、あの世とか天国に求める必要はないの。だってみんなあるんだもの。それを見つけることの方が大切だと思うわ」しばらく間を置いて、「いまここにないものは、死んでからもやっぱりないと思うの。いまここにあるものだけが、死んでからもありつづけるんだと思うわ。うまく言えないけど」

「ぼくがアキのことを好きだという気持ちは、いまここにあるものだから、死んでからもきっとありつづけるね」ぼくは引き取って言った。

「ええ、そう」アキは頷いた。「そのことが言いたかったの。だから悲しんだり、恐れたりすることはないって」

3

病院のなかにある喫茶店の窓から、灰色の雲が低く垂れ込めた空が見えた。アキの母親と差し向かいで、ぼくはやや緊張していた。テーブルには冷めかけたコーヒーが二つ置いてある。

「アキの病気のことなんだけど」それまで世間話をしていた母親は、ちょっと唐突な感じで切り出した。「朔太郎くん、白血病っていう病気知ってる？」

ぼくは曖昧に頷いた。心臓が激しく鼓動をはじめていた。身体中の血管を冷たいアルコールが流れていくような気がした。

「それじゃあ、だいたいのことはわかるわね」と言って、彼女はグラスの水に口をつけた。「もう気がついてるかもしれないけど、アキはその白血病なの。いまは薬を使って病気の細胞をやっつけているところ。吐き気があったり髪が抜けたりするのはそのせい」

母親は反応を窺うように顔を上げた。ぼくは黙って頷いた。彼女は大きく息を吐いてつづけた。

「薬のおかげで、悪い細胞はだいぶ消えてきているらしいわ。先生も一時的に病気は良くなり、退院もできるだろうって。でも一度に全部やっつけてしまうことはできないの。強い薬だし、同じ治療を何度も繰り返す必要があって、その期間は最低でも二年間、場合によっては五年くらい」

「五年ですか」ぼくは思わず口を挟んだ。こんな苦しみが、あと五年もつづくというのだろうか。

「それで先生とも相談したんだけど、一時的に良くなって退院したとき、アキをオーストラリアへ連れていってやろうと思うの。せっかく楽しみにしていた修学旅行に、あの子行けなかったでしょう。病気が再発してくれれば、また入院して治療に専念しなければならない。できればその前に連れていってやりたいと思って」

彼女は言葉を置いてぼくの方を見た。

「そこで相談なんだけど、もし朔太郎くんが一緒に行ってくれると、アキも喜ぶと思うんだけど、どうかしら？　もちろんあなたの了承が得られれば、ご両親にはあらためてお願いしてみるつもりなんだけど」

「行きます」ぼくは躊躇《ちゅうちょ》なく答えた。

「そう」母親は少し安心したように、「ありがとう」と言った。「アキもきっと喜ぶと思うわ。それとアキには、しばらくのあいだ病名のことは伏せておいてね。これは先生のご意向でもあるんだけど、いままでどおり再生不良性貧血ということにしておきたいの。もちろん、いずれ本当の病名を告げなければならないときが来ると思うわ。長い闘病生活になりそうだから。でも、もう少し治療の目処《めど》が立ってから、本人には病名を告げたいと思うの」

図書館のコンピュータで検索して、白血病についての記述がある本に片っ端から目を通した。どの本と照らし合わせても、発病後の経過と治療が、ここ一ヵ月のアキの入院生活と一致していた。つぎつぎに現れる副作用は、抗白血病剤を使っているせいだろう。これで白血病細胞を叩くと、まともな白血球がなくなるので、細菌やカビに感染しやすくなる。ガウン・テクニックの指導を受けたのはそのためと想像がついた。ある本には、現在では白血病の七割が一時的に治癒し、なかには完治した例もあると書いてあった。ということは、現在でも完治は稀《まれ》ということだろうか。

学校の帰りに空を見上げると、真っ白い雲が冬の太陽を浴びて輝いていた。ぼくは往来に足を止めたまま、長いあいだ雲を見ていた。夏休みに二人で島へ行ったときに見た積乱雲を思い出した。あのときのアキの白い肌も、健康な肉体も、みんな過去へ押しやられてしまった。しばらくものが思えなかった。後ろから来た自転車のベルの音で、ようやく我に返った。再び空を見上げたときには、先ほどの雲は太陽の光の加減で、やや陰が深くなっているようだった。なんと急速に、悲劇的に時間は流れることだろう。幸福はまるで刻々と姿を変える雲のようなものだ。金色に輝いたり、灰色に沈んだりしながら、一時も同じ状態でとどまっていてはくれない。どんなに輝かしい時間も、ほんの気まぐれのように、また戯れのように、あまりにも速く過ぎ去ってしまう。

夜眠りに就くとき、心のなかで祈ることが習慣になった。神様が存在するとかしないとか、いまはもう考えなかった。ぼくはただ自分の個人的な祈りの対象として、神様のような何かを必要としていた。それは祈りというよりも、取り引きと言った方がよかったかもしれない。ぼくは人智《じんち》を超えた巨《おお》きな存在と取り引きがしたかった。もし彼女が元気になるなら、自分が身代わりになってもいい。アキにかんする気がかりがあまりにも大きくて、自身は取るに足らないものに思えた。ちょうど太陽の光が、他の星を隠してしまうように。

毎晩そんなことを考えたり、祈ったりしながら眠るのに、朝起きてみると、ぼくはあいかわらず元気で、病気で苦しんでいるのはアキの方だった。彼女の苦しみは、ぼくの苦しみではなかった。ぼくも苦しんではいたが、それはアキの苦しみを自分なりに苦しんでみることでしかなかった。ぼくはアキではなかったし、彼女の苦しみでもなかった。

4

病気は一進一退をつづけているようだった。それにともなって彼女の気持ちも浮き沈みを繰り返した。快活にとりとめのない会話を楽しむときもあれば、見るからに塞《ふさ》ぎ込んで、こちらが何を言っても捗々しい答えの返ってこないこともある。そんなときには、アキがもうぼくを必要としていないように思えて、病室にいる時間が、辛い責務のように感じられた。

抗白血病剤にたいする反応が悪いのではないか、と本で仕入れた知識を引き合いに出して思った。この治療がうまくいかなければ、骨髄移植でもしないかぎり治癒は望めない。

アキの気分が良いときには、旅行ガイドなどを見ながらオーストラリアの話をしたが、本当に行けるかどうかについては二人とも半信半疑だった。アキの母親からも、その後、具体的な話は出ていない。

「こんなに苦しい治療をするのは、よっぽど悪い病気だからだわ」アキはベッドの上で辛そうに目を閉じて言った。

「悪い病気でも、きっと治る可能性があるから苦しい治療をしているんだよ」ぼくは彼女が直面している現実を、精一杯良い方へ解釈してみようとする。「治る見込みがなければ、もっと楽な治療をするはずじゃないか」

しかし彼女は、そんな理屈には耳を貸さずに、「ときどき病院を抜け出してしまいたくなる」と訴えた。「もうこんな治療なんか受けたくないという気分になってしまうんじゃないかって、毎日不安でたまらないの」

「ぼくが付いてるから」

「一緒にいてくれるあいだはいいの。でも朔ちゃんが帰ったあと、夕御飯を食べて消灯の時間が近づいてくると、なんだか居たたまらない気持ちになってくる」

高熱が出たために、しばらく面会できない日がつづいた。白血球の減少によって感染を起こしているようだった。抗生剤が投与されたが、熱はなかなか下がらなかった。ぼくは病院の治療に疑問を感じるようになっていた。アキの母親も言っていたように、抗白血病剤を投与すると、一時的に病気が良くなることが多い。この状態で、旅行に連れていこうという計画だった。しかしいつまでも退院の話が出てこないということは、一時的な小康状態にまで、うまくもっていけていないということだ。アキの病気が手ごわいのか、それとも医師の治療法が悪いのか。いずれにせよこのままでは、治療の途中で、彼女の身体の方が先にまいってしまいそうだった。

「たぶんわたしはもうだめだと思う」久しぶりに会ったアキは、熱の名残りを感じさせる赤い唇で言った。

「そんなことないよ」

「なんとなくわかっちゃうの」

「そんなに弱気になっちゃだめじゃないか」思わず強い口調になった。

「朔ちゃんまでわたしのこと叱るのね」彼女は寂しそうに目を伏せた。

「誰も叱っちゃいないよ」そう言ってから、ぼくは思いなおして、「誰かアキのことを叱るの」とたずねてみた。

「みんな」と彼女は言った。「もっとがんばらなきゃだめだって。しっかりご飯を食べて、体力をつけて……吐き気が強くて何も食べられないって言うと、出された薬を飲まないからだって。でも、この吐き気では薬だって飲めない」

そのころにはアキも、自分の病気のことを知っているようだった。誰が話したわけでなくても、本人にはわかってしまうものらしい。

「自分が死ぬなんて、いまだに想像もつかない。それなのに死は、もうすぐ目の前に来ている」

「どうしてそんなに悪い方に考えるのかな」ぼくが嘆かわしく呟くと、

「今朝、血液検査の結果を説明してもらったの」彼女はいかにも自分の悲観には根拠があると言いたげに、「まだ悪い細胞があるから、それを薬でやっつけるんですって。悪い細胞って、きっと白血病細胞のことだわ」

「医者に訊《き》いたのかい」

「そんなこと、怖くて訊けない」

彼女は物思いに沈んだ声でつづけた。

「これまでも薬はいろいろ使ってきたのに、悪い細胞を殺すことはできなかった。残っている細胞を殺すためには、もっと強い薬が必要なはずだわ。でも本当に、もうこれ以上は耐えられない。このままじゃあ病気よりも、薬のために死んでしまう」

「薬の強い弱いじゃなくて、やっぱり病気にたいする適不適があるんだと思うよ。だから別の薬を使うといっても、一概に副作用が強くなるとは限らないんじゃないかな」

「そうかしら」

アキはしばらく考えて、結論の出ないようなため息をついた。

「昨日はまだ自信があったの、自分が良くなることにたいして。でもいまは、明日一日を生きることさえ耐えがたい気がする」

病院を出て家に帰りながら、アキを失うかもしれないという予感が、黒いインクのように頭のなかへ流れ込んできた。ふと、このままどこかへ行ってしまいたいという思いにかられた。どこか遠くへ、何もかも忘れられるところへ。ほんの数ヵ月前に彼女と二人で歩いた道を、いまは一人で歩いていた。そしてもう二度と、この道を二人で歩くことはないという予感を、打ち消しがたい未来のように感じた。

新しく使われはじめた薬は、やはり副作用の強いものだった。ようやく吐き気がおさまったかと思うと、今度は口内炎のために食事をとることができなくなった。栄養は再び点滴に頼るほかなくなった。

「もういいの」彼女はひとりごとみたいに呟いた。

「何がもういいんだい？」

「病気が治らなくても。アボリジニの生き方に学ぶことにしたから。すべてのものに理由があるなら、わたしの病気にもきっと本当の理由があるはずだわ」

「人が病気にかかるのは、それを克服して強くなるためだよ」

「いいのよ」彼女は静かに目を閉じて繰り返した。「もう疲れちゃった。治療の苦しみに耐えることにも、病気のことをいろいろ考えるのにも。朔ちゃんと二人で病気のない国へ行きたい」

希望を語りながら、微塵《みじん》も希望を感じさせない言い方だった。そのことがかえって、気持ちを一歩前に踏み出させるきっかけになった。

「最後は二人で行こう」とぼくは言った。

アキは目をあけ、物問いたげにぼくを見た。その目はおのずと、「どこへ」とたずねていた。ぼく自身も、自分たちがどこへ行こうとしているのかわからなかった。たんに現実逃避の願望を口にしてみただけだったのかもしれない。しかし言葉にした途端、ぼくは自分の言ったことにとらわれていた。何気なく口にした言葉を、未来への道しるべのように感じた。

「かならずここから連れ出してあげる」重ねて言った。「どうしてもだめなときは、そうしよう」

「どうやって」アキはかすれた声でたずねた。

「方法は考える。おじいちゃんみたいなのは嫌だからね」

「おじいちゃん?」

「自分の孫にアキのお墓を暴かせるなんてさ」

彼女の瞳《ひとみ》のなかに迷いが見えた。それを封じ込めるように、

「二人でオーストラリアへ行こう」と話を具体的な方へ引っ張った。「こんなところでアキを一人で死なせない」

彼女は目を伏せて何か考えているようだった。やがて顔を上げると、ぼくの目を真っ直ぐに見つめて、小さく頷いた。

5

アキは日ごとに弱っていった。頭髪はほとんど抜け落ちていた。身体のあちこちに、小さな紫色の出血斑《はん》が出ていた。手や足には浮腫《むく》みがきていた。ためらっている時間はなかった。ぼくは彼女をオーストラリアへ連れていくことについて、真剣に考えはじめた。資料を集めて、旅行の方法を検討した。幸い、修学旅行のために取得したパスポートもビザもまだ有効だった。最初に考えたのは、現地係員が同行するパッケージ・ツアーだった。いちばん安全で確実そうだ。しかしこれだと申し込み手続きが煩雑で、すぐには出発できそうにない。また二十歳未満は保護者の同意書が必要とも書いてある。

航空券の手配も思案のしどころだった。重病人を連れての旅行だから、格安航空券は危険が大きすぎる。正規運賃だと一人四十万ほどかかってしまう。さらに出発をいつにするかも、難しい問題だった。まさか彼女の主治医にたずねるわけにはいかない。いまから一週間後、二週間後の健康状態を予想するわけにもいかない。

「できるだけ早く出発したい」とアキは言った。「注射や点滴をやめれば吐き気はおさまるはずだから。体力はずっと落ちていくばかりだと思うの。だから少しでも元気なうちに出かけたい」

いろいろ調べてみた結果、オーストラリアの航空会社が設定しているゾーン・ペックスを利用するのが、いちばん現実的に思えた。これだと費用は一人十八万くらいだ。またわずかの手数料を支払えば、出発の直前までキャンセルすることができる。アキの健康状態を見ながらなので、どうしても出発日は確定しにくい。もし当日になって出発できない場合、航空券の払い戻しを受けることができれば、つぎの機会を待つこともできる。さらにコンピュータで残席の確認ができるため、予約の回答が素早いこともわかった。

最大の問題はやはりお金だった。航空券は予約と同時に購入しなければならない。貯金が十万くらいはあったが、とても足りない。残りをどうやって捻出するか。しかもいますぐに……ぼくには一つの方法しか思い浮かばなかった。

「五十万？」祖父は金額を聞いて目を丸くした。

「たのむよ。働いてきっと返すから」

「そんな大金、いったいなんに使うんだ」

「理由は聞かずに、とにかくお金だけ貸してよ」

「そういうわけにいくもんか」

祖父はボルドーの赤を二つのグラスに注いで、一つをぼくに勧めた。それから親身な口調で、「なあ朔太郎」と呼びかけてきた。

「おまえはわしの秘密を知っている。わしの最後の願いをおまえに託したんだ。なのにおまえは、自分の秘密をわしに打ち明けてはくれんのか」

「悪いけど、こればかりは言えないんだ」

「どうして」

「おじいちゃんの好きな人はもう亡くなったんでしょう。亡くなった人のことは打ち明けることができる。でもまだ生きている人のことは言えないよ」

「そういう色っぽい事情なのかい」

「色っぽくなんてないよ」

そう言った途端、我慢していたものが堰《せき》を切ったように溢れだしてきた。突然、声を上げて泣きはじめたぼくを、祖父は途方に暮れたように見ていた。ぼくは長いあいだ泣いていた。泣き止むとワインを飲んだ。祖父はもう何もたずねなかった。ぼくたちは黙ってワインを飲みつづけた。

いつのまにかソファで眠ってしまっていたらしい。目が覚めると毛布が掛けてあった。そろそろ十一時だった。

「節子さんから電話があったぞ」祖父は読んでいた本から顔を上げて言った。「だいぶ心配しているようだった。今夜はうちに泊まっていくか」

「いや、帰る」ぼんやりした頭で答えた。「明日学校があるから」

祖父はしばらく思案げにぼくの顔を見ていた。やがて立ち上がり、隣の部屋から郵便局の通帳を持ってきて、テーブルの上に置いた。

「暗証番号はクリスマス・イブだ」

「ぼくの誕生日？」

「本当は大学に入ってから渡そうと思っていた。しかし物事には潮時というものがある。朔太郎が何をしようとしているか、わしは知らん。言いたくないというのなら、それでもかまわん。ただ一つだけ訊いておくが、それはどうしてもいまやらないと後悔することなんだな」

ぼくは黙って頷いた。

「そうか、わかった」祖父はきっぱりと言った。「それじゃあ持っていきなさい。百万くらいはあるはずだ」

「いいの？」

「良識ある行動を心がけるんだぞ」と祖父は言った。「朔太郎一人のことじゃないんだからな」

　ぼくはオーストラリアにかんする情報を集めつづけた。旅行ガイドを読み、旅行会社に問い合わせ、トラベル・インフォメーション・センターからファックスで情報を引き出した。それらをもとに、アキの両親がいないときを見計らって計画を話し合った。

「十二月十七日の航空券を押さえてある」とぼくは言った。

「わたしの誕生日？」

「なんとなく縁起がいいんじゃないかと思ってさ」

　彼女は微笑み、弱々しい声で「ありがとう」と言った。

「出発は夜だ」ぼくは説明をつづけた。「ここを出るのは夕方になる。ちょうど夕食の時間帯だから、病院を抜け出しやすいと思うんだ。タクシーで駅に駆けつけて、電車に乗ってしまえば、もうこっちのもんだ」

　アキは目を閉じて、情景を頭のなかで思い描いているようだった。

「機内で一泊して、つぎの日の早朝、ケアンズに着く。どこかで一休みして、国内線でエアーズロックへ行く。リゾートにはロッジ風のホテルもあるから、安く泊まれるはずだ。帰るつもりがなければ、いつまででもいればいい」

「本当に行けそうな気がしてきた」彼女は目をあけて言った。

「行けるとも。連れていくって約束したじゃないか」

祖父に借りた通帳でお金をおろし、旅行代理店で航空券を購入した。海外旅行保険にも入った。意外と手間取ったのが、オーストラリア・ドルを購入することだった。めったな銀行では取り扱っていない。オーストラリア・ニュージーランド銀行なら確実だろうが、あいにくぼくらが住んでいる街には窓口がなかった。仕方がないので市内の銀行に片っ端から電話をかけて、ようやくオーストラリア・ドルを扱っているところを見つけ、さっそくトラベラーズ・チェックを組んだ。

最後に重大な問題が残っていた。アキのパスポートをどうやって持ち出すかである。

「まさか家の人に持ってきてもらうわけにもいかないしな」

「弟か妹でもいると頼めるんだけど」

アキはぼくと同じくひとりっ子だった。パスポートは机の引き出しに入っているという。めったに使うものではないから、いまもきっとそこにあるだろう。彼女の家には何度か行ったことがある。なかに入ることさえできれば、持ってくるのは簡単そうだ。最初は合法的に入ることを検討したが、訪問の口実がどうしても思いつかない。

「盗み出すしかないね」とぼくは言った。

「やっぱりそれしかないかな」

「問題は、どうやって侵入するかだ」

「家の見取り図を描いとく」

彼女はノートに図を描いて、盗みの手引きをはじめた。

「なんかこういうことばかりしてるような気がするな」ぼくはふと冷静になってわが身を振り返った。

「ごめんね」彼女は気の毒そうに言った。

「早く正しい高校生に戻りたいよ」


つぎの日、アキを見舞ったあと、向かいの喫茶店で時間を潰《つぶ》しながら、仕事を終えた彼女の父親が病院へやって来るのを待った。喫茶店は通りに面した二階にあり、窓際の席からは病院の駐車場がはっきり見える。車は覚えているので、まず見落とすことはない。一時間ほど張り込みをつづけていると、父親の車が正門を通って駐車場に入った。七時少し前だった。彼が車から降りるのを確認してから、ぼくは喫茶店を出た。

自転車を飛ばしてアキの家に向かった。彼女の家は祖父の代からの古い木造家屋で、玄関を入って、衝立《ついたて》の蔭のぎしぎし鳴る階段を下りていくと、池に面して彼女の部屋がある。表から入ると地下一階の感じだが、裏庭の方から見るとそっちが一階になる。段差のある土地に、家が複雑な構造で建っているので、こういう奇妙なことが起こるらしい。アキが手引きしてくれた侵入経路は、まず裏の生け垣から庭に入り、池の横にある物置の戸を破るというものだった。物置の奥に古い簞笥《たんす》で塞がれた通路がある。簞笥を動かしてなかに入ると、母屋の納戸のようなところに繋がっている。そこは彼女の部屋の裏側にあたるはずだった。

物置の戸は蝶番《ちょうつがい》が馬鹿になっていて簡単に破れた。古い簞笥もなんとか動かすことができた。教えられた通りに障害物を排除しながら進むと、やがて見覚えのある部屋の前に出た。そっと襖《ふすま》をあけた。部屋のなかは真っ暗で、かすかな黴《かび》の匂いとともに懐かしい匂いがした。ぼくは持ってきた懐中電灯をつけ、彼女の机を調べた。パスポートはすぐに見つかった。引き出しを閉めるときに、机の上にのっかっている小さな石ころに気づいた。しばらく握っていると、ひんやりした石の感覚が掌に馴染《なじ》んできた。アキもときどきこうやって、石を手に取ってみたのだろうか。

部屋のカーテンを少しあけると、暗い窓の外に池が見えた。庭に灯《とも》った蛍光灯の光を浴びて、たくさんの錦鯉《にしきごい》が泳いでいた。いつかアキと二人でここに立って、池を見ていたことがある。池のなかを悠然と泳ぎまわる鯉たちを、ぼくらは黙って見ていた。カーテンを閉めてから、あらためてアキの部屋を見まわした。窓と反対側に洋服簞笥があった。いちばん上の引き出しに、銀行の通帳が入っていると教えられていた。修学旅行のために積み立てたお金が、手つかずで残っているはずだった。しかしぼくは指示された引き出しをあけるかわりに、別の引き出しをあけた。そこにはアキのブラウスやTシャツがきれいに畳んで収められていた。そのうちの一つを手に取った。顔に押し当てると、洗剤の匂いとともに、かすかに彼女の匂いがした。

しばらく時間が過ぎた。早くここを出なければと思うのに、身体が動かない。いつまでもそうしていたかった。部屋にあるすべてのものを手に取り、頬に当て、匂いを嗅いでみたかった。かすかに残ったアキの匂いが、ぼくのなかの時間の残滓《ざんし》を掻きまわした。一瞬、眩しい歓喜の渦にとらわれた。それは小さな心の襞の一つ一つが震えるような、甘美な歓びだった。はじめて唇を合わせたときの、はじめて抱きしめたときの歓びが甦《よみがえ》ってきた。しかしつぎの瞬間、輝かしい渦は暗い淵《ふち》のなかへ音もなく吸い込まれていき、ぼくはアキの服を手にしたまま、暗い部屋のなかに呆然と立ち尽くしていた。時間の感覚がおかしかった。自分がすでに彼女を失い、遺品をあらためるために、この部屋に足を踏み入れたような錯覚にとらわれていた。それは奇怪で生々しい錯覚だった。まるで未来を追憶しているようだった。未来にたいする既視感にとらわれているようでもあった。細胞一つ一つにしみ込んだアキの匂いを払いのけるようにして、ようやく部屋を出た。


ぼくはアキに、パスポートを無事に持ち出したことを告げた。

「あとは出発するだけね」彼女は穏やかに言った。

「旅行の準備はだいたい調《ととの》った。最後にこまごましたものを買い揃《そろ》えて、荷造りすれば準備完了だ」

「朔ちゃんには何から何まで迷惑をかけてしまったわね」

「へんな言い方をするなよ」

「ときどきおかしなことを考えるの」アキは自分一人の思いに浸るようにつづけた。「わたしは本当に病気なのかしらって。たしかに病気なんだけど、寝ているあいだも朔ちゃんのことを考えて、いつも一緒にいるような気がするから、あまり病気って感じがしないの」

ぼくは奥歯で感情を噛み殺した。

「このあいだまでご飯が食べられないって、泣き言ばかり言ってたのにな」

「ほんとね」彼女は小さく笑って、「いまはとてもへんな気持ち。病気のことで頭がいっぱいなのに、それについて筋道だって考えられない。あれほど逃げ出したくて仕方なかったのに、いまはもう何から逃げだそうとしているのかわからない」

「逃げだすんじゃなくて出発するんだよ」

「そうね」彼女は形だけ頷いて目を閉じた。「このごろよく朔ちゃんの夢を見るの。朔ちゃんもときどきわたしの夢を見ることがある?」

「毎日現物を見てるから、夢なんて見る必要はないんだ」

アキは静かに目をあけた。そこには恐怖や不安の影は認められなかった。ただ深い森の奥にある湖のような、静かな表情を湛《たた》えていた。その表情のままの声でたずねた。

「もし現物が見られなくなったら?」

ぼくは答えなかった。答えることができなかった。そういう可能性は、想像力の範囲外にあった。

6

夕食は六時からで、その時間には一般の面会人は引き上げなくてはならない。六時前になると、病棟の廊下に配膳ワゴンが並ぶ。入院患者はそのなかから自分のトレーを取っていって、病室で食事をする。談話室に備えられた薬罐《やかん》のなかから、ポットや湯飲みにお茶を汲《く》んでいく人もいる。この慌ただしさを利用して、病院を抜け出すことにした。

まずアキを見舞ったあと、ぼくは病院を出て通りを隔てた喫茶店の二階で待機している。やがて正面玄関から帰っていく見舞客とともに、パジャマの上にカーディガンを羽織ったアキが出てくる。いつものように毛糸の帽子を被っている。ぼくは喫茶店を出て、通りかかったタクシーを止める。そこへちょうど彼女がやって来る。怪訝そうな顔をしている運転手に、行き先を告げる。

「大丈夫だった？」

「電話をかけに行くふりをして出てきちゃった」

「気分は？」

「最高ってわけにはいかないけど」

あらかじめ駅のコインロッカーに旅行用の荷物を入れておいた。大きな鞄が一つと、機内に持ち込む小さな鞄が二つ。それにぼくが準備したアキの服が一揃い入っている紙袋。一つのロッカーには納まらないので、二つに分けて入れておいた。それらをみんな取り出すと、ちょっとした荷物になった。

「まずそいつを着替えなきゃな」ぼくはパジャマ姿のアキを見て言った。「このなかに一通り入ってるから着替えといで」

「みんな朔ちゃんが揃えたの？」

「ブラウスとTシャツはアキの部屋からちょろまかしてきた。それにぼくのジーンズとジャンパーが入ってる。ちょっと大きいと思うけど」

しばらくして着替えを済ませたアキがトイレから出てきた。

「悪くない」とぼくは言った。

「朔ちゃんの匂いがする」彼女はジャンパーの袖《そで》に鼻を近づけて言った。

「ちょっと寒いかもしれないけど、電車に乗るまでの辛抱だから。それにオーストラリアは初夏だ」

切符はすでに買ってあった。改札を抜けてホームに立っても、列車が入ってくるまでは気が気でなかった。いまにも彼女の両親が、駅に駆けつけてくるような気がした。ようや気分になった。

く列車に乗り込み、空いている自由席に腰を下ろしたときには、大きな仕事をなし遂げた

「なんだか夢を見てるみたい」

「夢なんかじゃないよ」

ぼくは病院から出てくるアキを待っているあいだに買ったケーキを、箱のなかから取り出した。小さいながらも、ちゃんとしたデコレーション・ケーキだった。

「わたしのために？」

「蠟燭《ろうそく》も用意しといた。太いのは一本で十歳ぶんなんだって」

ケーキをアキの膝の上に置き、十七歳ぶんの蠟燭を立てた。真ん中に太い蠟燭。そのまわりを七本の蠟燭が取り囲んでいる。

「穴だらけだね」ぼくは言った。

アキは何も言わずに微笑んだ。使い捨てライターで蠟燭に火をつけた。匂いに気づいて、近くの乗客が不審そうにこちらを振り向いた。

「誕生日おめでとう」

「ありがとう」

暗い窓に蠟燭の火が映っていた。

「それじゃあ、消して」

アキはケーキを顔の前に掲げると、唇をすぼめて息を吹きかけた。一度では消えず、二度、三度と吹いてようやく八本の蠟燭が消えた。それだけで彼女は疲れてしまったように見えた。

「ナイフがないから、このまま食べよう」

透明なプラスチックのスプーンを渡した。いつもプリンを食べるときに使っていたやつだ。ぼくは律儀に片側から半分食べたけれど、アキは少し口をつけただけで、あとはほとんど食べなかった。

「でもへんだよな」

「何が?」

「十二月十七日を秋っていうのは、ちょっと無理があるんじゃないかな」

彼女は言っていることの意味がわからないといった表情でこっちを見ていた。ぼくはつづけた。

「だって冬子とか冬美って感じだろう、誕生日からするとさ」

「朔ちゃん、わたしの名前、季節の秋だと思ってたの?」

思わず顔を見合わせた。

「いやだ」彼女はつくづく呆れたというように、「それじゃあ、ずっと間違ってたんだ」

「間違い?」

「わたしのアキは白亜紀の亜紀よ」彼女は説明した。「白亜紀ってのはね、地質時代のなかでも、新しい動物や植物が出てきて栄えた時期なんですって。恐竜とかシダ植物とか。わたしもこれらの生物たちみたいに栄えますようにって、そういう願いを込めてつけられた名前なのよ」

「恐竜なみの繁栄か」

「本当に知らなかった?」

「てっきり春夏秋冬の秋だとばかり」

「学校の名簿とか見たでしょう」

「最初に出会ったときに、あっ、食欲の秋って思っちゃったから」

「もう、思い込みが激しいんだから」彼女は笑いながら、「でもいいわ、朔ちゃんがそう思ってくれていたのなら。朔ちゃんとわたしのあいだだけの名前ね。なんだか別人みたいな気がするけれど」

列車は途中の駅でとまりながら、空港のある街を目指して走りつづけた。彼女と二人でこの列車に乗るのは、五月に動物園に行って以来だった。あのときは目的のある旅行だった。今回も一応目的地はあるにはある。しかしそれが地上に存在する場所であるのかどうか、ぼくにはもうわからなくなっていた。

「いま重大なことに気がついた」

「今度はなに？」窓の外を見ていた彼女は、億劫《おっくう》そうに振り向いた。

「アキの誕生日は十二月十七日だろう」

「朔ちゃんの誕生日は十二月二十四日ね」

「ということは、ぼくがこの世に生まれてからアキがいなかったことは、これまで一秒だってないんだ」

「そうなるかな」

「ぼくが生まれてきた世界は、アキのいる世界だったんだ」

彼女は困ったように眉《まゆ》を寄せた。

「ぼくにとってアキのいない世界はまったくの未知で、そんなものが存在するのかどうかさえわからない」

「大丈夫よ。わたしがいなくなっても世界はありつづけるわ」

「わかるもんか」

窓の外を見た。真っ暗で何も見えなかった。座席の小さなテーブルに置かれたケーキが、暗い窓ガラスに映っていた。

「朔ちゃん？」

「やっぱりあの葉書がいけなかったんだ」彼女の声を振り払うように言った。「あんなことを書いたから。ぼくがアキの不幸を呼び寄せてしまったんだ」

「そんなことを言うと悲しいわ」

「ぼくだって悲しいよ」

再び暗い窓の外に目をやった。何も見えなかった。過去も未来も……食べかけのケーキが、挫折《ざせつ》した夢のように思えた。

「わたしは朔ちゃんが生まれるまで待ってたのよ」やがてアキが穏やかな声で言った。

「朔ちゃんのいない世界で、一人で待ってたのよ」

「たった一週間だろう。ぼくはいったいあとどのくらい、アキのいない世界で生きていかなければならないと思う？」

「時間の長さは、そんなに問題かしら」彼女は大人びた口調で言った。「わたしが朔ちゃんと一緒にいた時間は、短かったけどすごく幸せだった。これ以上の幸せは考えられないってくらい。きっと世界中の誰よりも幸せだったと思うの。いまこの瞬間だって……だからもう充分だわ。いつか二人で話したでしょう、いまここにあるものは、わたしが死んだあとも永遠にありつづけるのよ」

ぼくは大きなため息をついて、「アキは欲がなさすぎるよ」と言った。

「いいえ、わたしは欲張りよ」彼女は答えた。「だって、この幸せを手放すつもりはないんだもの。どこへでも、いつまでも持っていくつもりでいるんだもの」

駅から空港までは遠かった。バスが運行しているはずだったが、時間が迫っていたのでタクシーを使った。車は暗い街を走りつづけた。空港は街外れの海沿いにある。窓の外を、二人で作り上げてきた大切な思い出が、呆気なく通り過ぎていくようだった。こうして未来へ向かって走りながら、その先にどんな希望も見出《みい》だせなかった。むしろ空港が近づけば近づくほど、絶望ばかりが大きくなっていった。楽しかった過去はどこへ行ってしまったのだろう。どうしていまがこんなに辛いのだろう。あまり辛いので、この辛さが現実のものとは思えなかった。

「朔ちゃん、ティッシュ持ってる?」アキが鼻のあたりを手で押さえてたずねた。

「どうしたの?」

「鼻血」

ぼくはポケットを探って、街頭で手渡されたキャッシング会社かどこかのティッシュを取り出した。

「大丈夫?」

「ええ、すぐに止まると思うから」

しかしタクシーを降りたときも、まだ血は止まっていなかった。ティッシュは、すでに血を吸ってぶよぶよになっている。ぼくは旅行鞄のなかからタオルを取り出した。それで鼻を押さえて、アキはロビーのソファに腰を下ろした。

「引き返そうか」こわごわとたずねた。「いまならまだキャンセルできるから」

「連れていって」アキはかすかに聞き取れる声で訴えた。

「無理をしなくても、また出直すこともできるから」

「いま行かなければ、もう絶対に行けないわ」

彼女の顔は真っ青だった。このまま飛行機に乗って、途中で具合がさらに悪くなったときのことを考えると、不安で胸がいっぱいになった。

「やっぱり引き返そう」

「お願い」

アキはぼくの手を取った。その手は腫《は》れて、紫色の斑点が浮かんでいる。ぼくが握り返すと、指の跡がついた。

「わかった。それじゃあ搭乗手続きをしてくるから、ここで待ってて」

「ありがとう」

ぼくは航空会社のカウンターに向かって歩きはじめた。何もかも振り切って、アキと一緒に行こうと思った。怖いものはなかった。もうどんな未来も思い描けなかった。ただ現在だけが、永遠につづくように思えた。

そのとき後ろで物音がした。荷物が落ちるような音だった。振り返ると、アキがソファの下に倒れていた。

「アキ」

駆け寄ったときには、すでに人が集まりはじめていた。鼻と口が血で真っ赤だった。呼びかけても返事がない。間に合わない、とぼくは思った。あれもこれも間に合わなかった。アキと結婚することも、二人の子供をつくることも。そして最後の、たった一つ残された夢も、あと少しのところで手遅れになってしまいそうだった。

「助けてください」取り囲んでいる人たちに向かって言った。「お願いです、助けてください」

空港の係員がやって来た。誰かが救急車の手配をしているようだった。けれど、そんなもので、彼女をどこへ連れていこうというのだろう。どこへも行けやしない。この場所に、ぼくたちは永遠に釘付《くぎづ》けにされるのだ。

「お願いです、助けてください」

声はしだいに小さくなり、最後は意識のないアキに向かって、同じ言葉を呟きつづけるばかりになっていった。ぼくが語りかけていたのは、アキでもなければ、まわりの人々でもなかった。もっと巨きなものに向かって、ぼくは自分にだけ聞こえる声で、繰り返し訴えつづけていた。助けてください、アキを助けてください、ぼくたちをここから救い出してください……でも声は届かなかった。ぼくたちはどこへも行けなかった。夜だけが更けていった。

7

深夜になって、アキが運び込まれた病院に、彼女の両親とぼくの父が到着した。アキの母親はぼくの姿をちらりと見ると、顔をそむけて泣き崩れた。彼女を抱きかかえながら、アキの父親は妻の肩ごしにぼくを見て、小さく頷いた。彼らは廊下で医師の説明を受け、それから病室に入っていった。父は長椅子に坐っているぼくの横に腰を下ろすと、肩に手を置いたまま、何も言わなかった。

重苦しい時間が流れた。途中で父が紙コップに入ったコーヒーを持ってきた。

「熱いぞ」と言った。

しかしぼくには、その熱さがわからなかった。コーヒーが冷めるまで、紙コップを慎重に手で持っていた。そうしないと、熱さを感じないまま、口のなかを火傷してしまいそうだった。

三十分ほどして、アキの両親が病室から出てきた。母親はハンカチで目頭を押さえながら、涙声で「会ってやってちょうだい」と言った。ぼくは看護婦の指示で無菌服に着替え、帽子とマスクを着けた。彼女は隔離室に入れられていた。腕には点滴の針が入り、酸素吸入を受けている。点滴の入ってない方の腕を取ると、アキは静かに目をあけた。部屋のなかにはぼくたち二人だけだった。

「お別れね」と彼女は言った。「でも、悲しまないでね」

ぼくは力なく首を振った。

「わたしの身体がここにないことを除けば、悲しむことなんて何もないんだから」しばらく間を置いて彼女はつづけた。「天国はやっぱりあるような気がするの。なんだか、ここがもう天国だという気がしてきた」

「ぼくもすぐに行くから」ようやくそれだけ口にすると、

「待ってる」アキはいかにも儚《はかな》げに微笑んだ。「でも、あまり早く来なくていいわよ。ここからいなくなっても、いつも一緒にいるから」

「わかってる」

「またわたしを見つけてね」

「すぐに見つけるさ」

少し息が荒くなった。彼女はしばらく呼吸を整えてから、

「よかった」と言った。「自分がどこへ行くかわかっているから」

「アキはどこへもいかないよ」

「ええ、そうね」彼女は頷くようにして目を閉じた。「そのことがわかってると言いたかったの」

アキが少しずつ遠くなっていくようだった。彼女の声も、彼女の顔の表情も、ぼくが握っている手も。

「あの夏の日を覚えてる?」風が吹いて、消えかけた炭が明るむように彼女は言った。

「小さな舟で海を漂って……」

「覚えてるよ」

アキは口のなかで何か言いかけたけれど、ぼくにはもう聞き取れなかった。行ってしまうのだ、と思った。切り立ったガラスのような思い出だけを残して、彼女は行ってしまうのだ。

頭のなかいっぱいに、真っ青な夏の海が広がった。あそこにはすべてがあった。何も欠けていなかった。すべてを持っていた。ところがいま、その思い出に触れようとすると、ぼくの手は血だらけになってしまう。あのまま永遠に漂っていたかった。そしてアキと二人で、海のきらめきになってしまいたかった。

8

霧のなかから、船着場の桟橋が浮かび上がっていた。波が静かに岸辺の小石を洗う音が聞こえていた。裏山で野鳥が鳴いていた。それも一種類ではなく、幾つかの種類がいるようだった。

「何時？」アキがベッドの上からたずねた。

「七時半」ぼくは時計を見て答えた。「霧が出てるけど、すぐに晴れるだろう。また暑くなりそうだ」

荷物を持って下に行き、裏の水槽で顔を洗った。パンとフルーツ・ジュースで簡単に朝食を済ませた。大木の舟が迎えにくるまで、まだ三時間ほどある。それまで少し海岸を散歩することにした。

雨が降ったおかげで、この季節にしては涼しい朝になった。海岸へつづく道にはコンクリートが打たれていた。それがいまではぼろぼろに砕け、割れ目から背の低い雑草が飛び出している。雑草はまだ昨夜の雨に濡れていた。ぼくたちはほとんど喋らずに、海岸をぶらぶら歩いていった。海の家に張った蜘蛛《くも》の巣には水滴が溜まり、それが太陽の光に柔らかく輝いていた。

波打ち際を歩いているときに、アキは小さな石ころを一つ拾った。

「ほら、猫の顔の形をしてる」

「どれどれ」

「ここが耳で、これが口」

「ほんとだ。持って帰る？」

「ええ、朔ちゃんとここへ来た記念にね」

桟橋に腰を下ろして海を見ていると、打ち合わせの時間に大木の舟がやって来た。

「いやあ、おふくろの具合が悪くてさ」彼はロープを投げながら開口一番に言った。

「もういいんだよ」

「いいって？」

大木は怪訝そうにアキの方を見た。彼女はやや顔を赤らめて下を向いた。

「出かけよう」とぼくは言った。

東の空に巨大な入道雲が湧《わ》き上がっていた。雲の上の方は丸く滑らかで、太陽の光を浴びて真珠のように輝いていた。大木の操縦する舟は快調に進んだ。左手に海水浴場が見えていた。遊園地の観覧車やジェットコースターのレールも見えた。雨に洗われた山は夏の日差しを浴び、濃い緑を鮮やかに燃え立たせている。波はほとんどなく、海は穏やかだった。水面にクラゲがたくさん浮かんでいた。舟は舳先で、クラゲをかき分けながら進んだ。

「何か聞こえない？」途中でアキが言った。

舟は島の北端まで来ていた。巨大な岩が海に向かって迫《せ》り出し、その周囲にも尖《とが》った黒い岩が顔を覗かせている。耳を澄ましたけれど、何も聞こえなかった。

「ちょっとエンジンを止めろよ」ぼくは大木に向かって怒鳴った。

「なに?」と言って、大木はスロットルを緩めた。

舟が静かになると、どこからともなく「ブォーン、ブォーン」という低い唸りが聞こえてきた。唸りは同じ調子で周期的につづいている。これまでに耳にしたことのない、気味の悪い音だった。

「何かしら」アキが言った。

「洞窟だよ」大木が答えた。「島のはずれに洞窟があるんだ」

大木はスロットルをまわして舟を出した。ところがしばらく進むうちに、モーターの回転数が落ちてくるのがわかった。やがて「プスッ、プスッ」という音がして、モーターは完全に止まってしまった。大木は船外機から出ている紐を引っ張って、再びエンジンをかけようとした。しかし何度やっても、「プルルルル、プルルルル」という間抜けな音がするばかりで、エンジンはかからない。

「ぼくが引っ張るから、大木はスロットルを握ってろよ」

足で船底を踏ん張り、船外機の紐を引っ張った。何度目かに「ブルン……ルルルルル」という音がして、ようやくエンジンがかかりかけた。しかし回転数を上げようとして大木がスロットルをまわすと、「ブルン、ルルルル、ル、ル、ル……」といって、再び止まってしまった。

「だめだ」大木が言った。

「ごめんなさい、わたしがへんなことを言うから」

「広瀬のせいじゃないよ」

「そうだ、無線で助けを呼んでみたら」ぼくは言った。

「最初から無線なんて付いてないよ」大木は素っ気なく答えた。

舟はゆっくり潮に流されていった。夢島が海の彼方に小さく見えていた。ぼくと大木は工具箱のなかからドライバーを取り出し、船外機の覆いを外してみたけれど、どこが故障しているのかわからない。

「別に異状ないようだけどな」大木は首をかしげた。

「油がなくなったとか」

「いや、まだ残ってる」

「どうしよう」アキが心細そうな顔をすると、

「そのうち船が通りかかるよ」大木は安心させるように言った。

昼過ぎに雨が降った。ぼくたちは顔を空に向けて雨に打たせた。雨はすぐに上がり、再び夏の日差しが照りつけてきた。舟が流れていく方には、島影が一つも見えなかった。

「こうやって見ると、海は少し丸みを帯びているのね」舟の縁《へり》に顎をのせているアキが、前方に広がる水平線に目を細めた。

「そりゃあ地球は丸いからな」とぼくは言った。

「丸いのに水平線だなんて、へんよね」

「たしかに」

「きっと地球が平らなお盆みたいになっていて、海の彼方は滝のように流れ落ちていると考えられていたころの名残りね」

しばらく眩しい水平線を眺めつづけていた。やがて大木が、「船だ」と声を上げた。振り返ると、一隻の漁船がこちらに近づいてきていた。ぼくたちは立ち上がり、船に向かって大きく手を振った。船はスピードを落としながら、さらに近づいてきた。距離が五メートルくらいになったところで、

「龍之介じゃないか」と年配の漁師が大木に声をかけた。

「知り合い?」ぼくは小声でたずねた。

「近所の人。堀田さんていうんだ」

大木は漁船の主に事情を説明した。堀田さんが投げてくれたロープを、大木が小舟の舳先に結び付けた。ぼくたちの舟は漁船に曳航《えいこう》されて、ゆっくり進みはじめた。

「助かった」大木がほっとしたように言った。

「見て」アキが弾んだ声を上げた。

彼女が指さしている方を見ると、雨雲と青空の境目あたりに、大きな虹《にじ》がかかっていた。虹は下の方ほど薄くなって途切れ、反対側も完全なアーチにはなっていなかった。ぼ

くは目を凝らして虹を見つめつづけた。ずっと見ているうちに、虹の一色一色はさらに微妙な色に分かれていき、赤と黄色のあいだにも、青と緑のあいだにも、無数の色が溶かし込まれているのがわかった。それらを風のしなやかな爪が、夏の終わりの日焼けした背中の皮みたいに剥がし、太陽の光が空気のなかに溶け込ませた。空は無数の薄いガラス片を撒いたように輝いた。

第四章

1

　アキの葬儀は、十二月末の寒い日に行われた。朝から灰色の雲が低く垂れこめて、太陽の姿はどこにもない。学校からも、大勢の生徒と先生が葬儀に参列した。中学三年のクリスマスに、アキの担任の先生が亡くなったときのことを思い出した。あのときはアキが弔辞を読んだ。ちょうど二年前のことだ。二年という歳月を、ぼくはうまく実感できなかった。長いとも短いとも思わなかった。時間の感覚そのものが失われてしまったようだった。

生徒の代表が弔辞を読んでいるときに、強い勢いで霰《あられ》が降った。場内はちょっとざわざわしたが、弔辞は最後まで読みつづけられた。女の子の多くは泣いていた。やがて焼香がはじまった。作法どおりに香を焚《た》き、祭壇の前で掌を合わせた。顔を上げたとき、アキの遺影が目の前にあった。彼女は非の打ちどころのない美少女といった感じで写真に収まっていた。そのため写真のなかのアキは、ちっとも彼女らしくなかった。少なくとも、それはぼくがよく知っているアキではなかった。

参列者のほとんどは、寺の門のところで出棺を見送ったけれど、ぼくは火葬場まで付いていくことを許された。親族とともに葬儀会社のマイクロバスに乗って、先頭を行く霊柩《れいきゅう》車《しゃ》のあとをのろのろ走った。ときどき霙《みぞれ》が降るので、そのたびに運転手はフロントガラスのワイパーを動かした。火葬場は街はずれの山間《やまあい》にあった。車は杉木立の寂しい山道を登っていく。途中でスクラップになった車が何台も打ち捨てられている場所を通った。養鶏場のそばも通った。こんな寂しいところに連れてこられ、焼かれて灰になろうとしているアキのことをぼんやり思った。

元気だったころの彼女の姿ばかりが目に浮かんだ。高校一年生の秋、夕暮れの道を家の近くまで送っていくと、肩にかかった彼女の髪がブラウスの白さを際立たせていた。ブロック塀に映った二人の影を覚えていた。夏の一日、ぼくの横を仰向けに泳いでいく彼女を覚えていた。太陽に向かって固く閉ざされた瞼、水面に広がった髪、水に濡れて輝いた咽喉元の白い肌……そうしたアキの身体が、これから焼かれて灰になってしまうのだと思うと、身の置き所のない焦りのようなものを感じた。バスの窓をあけ、冷たい空気に顔を晒した。雪にもなれず、雨にもなれないものが、顔に当たっては溶けた。あれもしてあげたかった。これもしてあげたかった。そんな思いばかりがつぎつぎと浮かんで、顔を打つ霙のように消えていった。

遺体が焼かれているあいだ、大人たちには酒が振る舞われた。ぼくは一人で建物の裏側にまわってみた。山の土手がすぐそばまで迫っていた。土手には茶色く冬枯れした草が生えている。ごみ捨て場のようなところに、黒っぽい灰が打ち捨てられていた。あたりは静まり返り、人の声も、鳥の鳴き声も聞こえない。耳を澄ますと、アキを焼いているボイラーの音が、かすかに聞こえてきた。ぼくははっとして空を見上げた。そこには赤い煉瓦《れんが》の煙突があり、煤《すす》けた四角い口から煙が出ていた。

不思議な気分だった。世界でいちばん好きだった人を焼いた煙が、静かに冬の空へ昇っていくのを見るのは。長いあいだその場に立ち尽くして、煙の行方を目で追った。煙は黒くなったり白くなったりしながら立ち昇りつづけた。最後の煙が灰色の雲に紛れて見えなくなったとき、ぼくは自分の心のなかが、すっかり空っぽになってしまったような気がした。

年があらたまり、アキとぼくが一緒に過ごした年は、旧《ふる》いカレンダーとともに剝がれ落ちていった。正月の一週間ほどは、居間でテレビを眺めて過ごした。ほとんど家の外へは出なかった。初詣《はつもうで》にも行かなかった。テレビでは晴れ着姿の芸能人たちが、歌をうたったり、ゲームをしたりしていた。彼らの顔も名前も、ぼくにはわからなかった。カラーテレビなのに、画面には色がついていなかった。歓声を上げたり哄笑《こうしょう》したりする芸能人の群れを、ただ白と黒の塊として眺めた。そのうちに彼らは、騒々しい静寂とともに、見知らぬ光景のなかへ溶けていった。

毎日を生きることは、一日一日、精神的な自殺と復活を繰り返すようなものだった。夜眠る前に、ぼくは自分がこのまま二度と目覚めないことを願った。少なくとも、アキのいない世界へ、二度と目覚めることのないように。しかし朝が来ると、彼女のいない、空虚で冷たい世界に目覚めている。そして絶望したキリストのように復活を果たすのだった。一日がはじまれば、ご飯も食べるし、人と話もする。雨が降れば傘もさすし、濡れた服を乾かしもする。しかしそのことにはなんの意味もなかった。でたらめに叩かれたピアノの鍵盤《けんばん》が、でたらめな音を発するようなものだった。

繰り返し見る夢があった。アキと二人で、穏やかに凪いだ海を舟で漂っている。彼女は水平線の話をしている。水平線という名前は、海がお盆のように平らで、その果ては滝のように流れ落ちていると考えられていたころの名残りだろう。ぼくが答える。たとえ海の果てが滝のように流れ落ちているとしても、それはとても遠くで、舟で行けるような距離にはないのだから、実際にはないも同然だ。そんなことを喋りながら後ろを振り返ると、ほんの数メートル先で海がストンと落ち込み、大量の水が物凄《ものすご》い勢いで音もなく吸い込まれている。

アキを促して海に飛び込み、滝とは反対の方向へ泳ぎはじめた。舟の上からは穏やかに見えた海が、激しい流れによって滝の方へ引き寄せられていく。ぼくたちは流れに抗《あらが》いながら、手足をばたつかせて懸命に泳ぎつづけた。しばらく泳ぎつづけるうちに、ようやく水の抵抗が緩やかになり、引き寄せられる流れから抜けたことがわかった。ところが横を見ると、一緒に泳いできたはずのアキがいない。

そのとき叫び声が聞こえた。後ろを振り向くと、滝のなかへ吸い込まれるアキの姿が見えた。激しい流れに揉《も》まれて、彼女の身体はコマのようにくるくるまわっている。泣き叫びながら、両手で水面を叩いている。その背後で、海水が音もなく流れ落ちている。まったくの無音であることが、かえって海の表情を冷酷なものにしていた。ぼくは慌てて引き返しはじめた。しかし間に合わない。間に合わないことはわかっていた。いつだって間に合わないのだ、と泳ぎながら思っている。

アキの声が遠く耳に届いた。ぼくは叫び返した。彼女の名前を呼びつづけた。しかし手が、顔が、水面に広がる髪が、流れに呑み込まれていく。恐怖と絶望に見開かれた彼女の目が、青い水とともに吸い込まれて見えなくなる。

新学期がはじまっても、ぼくのなかの空っぽは、あいかわらず空っぽなままだった。クラスメートは気晴らしにも慰めにもならなかった。彼らとの会話を楽しむふりはできたけれど、一緒に会話を楽しんでいるという感覚はなかった。話している言葉に、どんな実感も伴わなかった。友だちの前で言葉を操っている自分が、空々しく感じられた。話をしている自分の声が、自分のものではないみたいだった。そのうちに彼らの存在が煩わしく感じられるようになった。ぼくは人のいる場所を避けて、一人を好むようになった。自分が他人と一緒に存在しているという感覚が、わからなくなっていた。世界中に、一人きりの自分しかいないみたいだった。

家に帰れば、参考書や問題集を広げて勉強をした。何時間でも没頭することができた。難しい微積分の問題を解いたり、英語の辞書を引いたりする作業は、少しも苦痛ではなかった。感情を差し挟む余地のないぶん、他のことに比べるとずいぶん楽だった。それでもときどき不意を襲われることはある。たとえば英語の長文のなかに「レイン・キャッツ・アンド・ドッグズ」という慣用句が出てくる。するとアキと二人で歩いた、土砂降りの雨の日を思い出す。傘を持ってきていたのは彼女の方だった。ぼくたちは一本の傘のなかで肩を寄せ合って、通い慣れた道を歩いた。彼女の家に着いたときには、二人ともずぶ濡れだった。アキはバスタオルを出してくれたけれど、どうせまた濡れるからと言って、そのまま彼女の傘を借りて、自分の家まで歩いて帰った。そんな思い出に引き寄せられるたびに、心は夏の日差しに焼かれた肌のようにひりひりした。

どんな一日をとっても、前の日とは切り離されていた。連続的な時間は、ぼくのなかを流れなかった。何かがつづいていくという感覚、何かが伸びやかに育ち、変化していくという感覚が失われていた。生きることは、一瞬一瞬の存在として、自分があることだった。未来はなく、どんな展望もひらけなかった。過去には、触ると血の出るような思い出が転がっていた。ぼくは血を流しながら、そんな思い出を弄《もてあそ》んだ。流れた血はやがて固まり、硬いかさぶたになるだろう。そしたらアキとの思い出に触れても、何も感じなくなるのだろうか。

2

正月が明けてしばらくしたころ、祖父のところでテレビを見ていると、バラエティ番組に有名な作家が登場して、「あの世」について話しはじめた。「あの世」はある、と彼は言った。人間は意識と肉体が溶け合った状態で存在している。死によって、われわれは肉体という着物を脱ぎ捨てる。すると意識は蝶が蛹《さなぎ》から飛び立つように、死者から飛び立ち、つぎの世界へ向かう。そこには愛すべき人たち、すでに死んでしまった人たちがいる。「あの世」は、いろいろな形でわれわれにサインを送ってきている。しかし合理主義的な考え方に慣れきった人間は、これらのサインに気づかない。だから気をつけて、「あの世」からのサインを見落とさないようにしなければならない。そんなふうに作家は語った。ぼくには彼が、とても不潔な人間に思えた。

「おじいちゃんはどう思う」番組が終わってからたずねてみた。「あの世ってあると思う？　好きな人とまた一緒になれるような世界がさ」

「あればいいと思うな」祖父はテレビの画面を眺めたまま答えた。

「ぼくはそんなものはないと思うよ」

「だとすれば寂しいね」

「死んだ人は死にっぱなしで二度と会えない。それはわかりきったことじゃないか」ぼくはややむきになって言った。

祖父は困ったような顔で、「やけに悲観的なんだな」と言った。

「ずっと考えているんだ。なぜ人間はあの世とか、天国とかいったものを考え出したのかって」

「なぜだと思う？」

「好きな人が死んだからだよ」

「ほう」

「大切な人がたくさん死んだから、人間はあの世や天国を発明したんだ。死ぬのはいつも相手で、自分じゃないだろう。だから生き残った者は、死んだ人たちを、そういう観念によって救おうとしたんだ。でもぼくは、みんな嘘だと思うよ。あの世も天国も、人間の考え出した虚構にきまってる」

祖父はテーブルのリモコンを取ってテレビを消した。

「わしらの世界で死ぬことは酷《むご》いことだなあ、朔太郎」祖父は親身な口調で言った。「死後もなく、生まれ変わることもなく、死はただの空虚でしかない。なんとも酷いことじゃないか」

「でも事実としてそうなんだから、しょうがないだろう」

「それも一つの見識ではあるかな」

「キリスト教徒なんかが、死は美しく恐れるに足りないなんて言ってるのを読むと、すごく腹が立つんだ。愚かだし、なんか傲慢な気がするよ。死は美しくなんてない。ただ悲惨で虚しいものだよ。そのことはどうしようもないじゃない」

祖父はしばらく天井を見上げて黙っていた。やがて上を向いたまま言った。

「天を論じない孔子《こうし》が、弟子の死に接して、天われを滅ぼせり、と慟哭《どうこく》したと伝えられている。不生不滅《ふしょうふめつ》を説く弘法《こうぼう》大師空海《くうかい》も、弟子の死に不覚の涙を流したという」そこでぼくの方を振り向いて、「好きな人を亡くすことは、なぜ辛いのだろうか」

　黙っていると、祖父はつづけた。

「それはすでにその人のことを好きになってしまったからではないかな。別れや不在そのものが悲しいのではない。その人に寄せる思いがすでにあるから、別れはいたましく、面影は懐かしく追い求められる。また、哀惜は尽きることがないのだ。すると悲哀や哀惜も、人を好きになるという大きな感情の、ある一面的な現れに過ぎぬとは言えないかな」

「わからないよ」

「人がいなくなるということを考えてごらん。こちらが最初から気にも留めてない人がいなくなっても、わしらはなんとも思わんだろう。そんなのはいなくなることのうちにも入らない。いなくなって欲しくない人がいなくなるから、その人はいなくなるわけだ。つまり人がいなくなるということも、やはり人に寄せる思いの一部分でありえる。人を好きになったから、その人の不在が問題になるのであり、不在は残された者に悲哀をもたらす。だから悲哀感のきわまるところは、いずれも同じなのだよ。別れは辛いけれど、いつかまた一緒になろうな、というようにね」

「おじいちゃんは、その人とまた一緒になれると思う?」

「朔太郎が一緒になるならないと言っているのは、それは形の問題かい?」

　ぼくは答えなかった。

「見えるもの、形あるものがすべてだと考えると、わしらの人生はじつに味気ないものになるんじゃないかね」と祖父は言った。「わしの好きだった人が、かつて知っていた姿形のまま、再びわしの前に現れることはないだろう。だが形を離れて考えれば、わしらはずっと一緒だった。この五十年、片時も一緒でなかったときはなかったよ」

「それはおじいちゃんの思い込みじゃないの」

「もちろん思い込みだとも。思い込みで何が悪い。どんな科学だって、みんな思い込みじゃないか。およそ人間が頭を使って考えることで、思い込みでないことなどありえんのだよ。ただ思い込みの激しさや、強さがあるだけでね。科学者なんてのは、自分の思い込みを保証するものとして、望遠鏡や顕微鏡なんかを使うわけだ。わしらは科学者じゃないから、別のものを使ってもいいだろう。たとえば愛とか」

「いまなんて言ったの」

「愛だよ、愛。おまえは愛を知らんのか」

「知ってるけど、おじいちゃんの口から聞くと、何か別のもののように聞こえる」

「わしの口から発せられる愛は、世間一般で言われている愛とは、似て非なるものだからな」

年寄りの妄想だと思った。アキが死んでから、大人たちの見せる同情や世間知のようなものが、ぼくには誤魔化しや言い訳としか感じられなくなっていた。実感が伴わないことは、何一つ受け付けられなかった。彼女がいないという実感と釣り合わない理屈を、ぼくは受け入れることができなかった。

「最後のとき、彼女はぼくに会おうとしなかったんだ」ずっと気にかかっていたことを口にした。「会うことを拒んでいるようだった。どうしてだと思う?」

「わしらは二人とも、好きな女の死に目に会えなかったわけだな」祖父はぼくの問いには直接答えずに言った。

「どうして彼女は、ぼくが最後までそばにいることを望まなかったんだろう」

「なあ朔太郎」と祖父は言った。「人はいろいろな別れに遭遇するものだ。奇妙なことに、わしらは二人とも同じような体験をすることになった。二人とも好きな女と一緒になれず、死に目にも会えなかった。おまえの辛さはよくわかる。だがね、それでもわしは、人生はいいものだと思うよ。美しいものだと思う。美しいなんていうと、いまの朔太郎の実感にはそぐわないかもしれないが、実感としてそう思うんだ。人生は美しいとね」

祖父はしばらく自分の言葉に浸るようだった。やがてぼくの方を向いてたずねた。

「美しさの正体はなんだと思う」

「パス」素っ気なく答えた。

「人生には実現することとしないことがある」祖父は諭すように言った。「実現したことを、人はすぐに忘れてしまう。ところが実現しなかったことを、わしらはいつまでも大切に胸のなかで育《はぐく》んでいく。夢とか憧れとか言われているものは、みんなそうしたものだ。人生の美しさというものは、実現しなかったことにたいする思いによって、担われているんじゃないだろうか。実現しなかったことは、ただ虚しく実現しなかったわけではない。美しさとして、本当はすでに実現しているんだよ」

ぼくはリモコンを取ってテレビをつけた。テレビでは正月疲れのような、気の抜けた番組ばかりやっていた。

「こうやってでたらめにチャンネルをまわしてるとさ、亡くなった彼女が出てくるような気がするんだ」リモコンでつぎつぎにチャンネルを切り換えながら言った。「そして話ができたりなんかすると、いいな」

「ドラえもんの道具みたいにかい?」

「まあね」

「でも、どうかな。もしそんなふうに、死んだ人間と簡単に話のできるような機械が発明されれば、人間はもっと悪いものになるんじゃないかな」

「悪いものって?」

「朔太郎は、死んだ人のことを考えると、なんとなく神妙な気持ちにならないかい」

ぼくは肯定も否定もせずに黙っていた。祖父はつづけた。

「死んだ人にたいして、わしらは悪い感情を抱くことができない。死んだ人にたいしては、利己的になることも、打算的になることもできない。人間の成り立ちからして、どうもそういうことになっているらしい。試しに、朔太郎が亡くなった彼女にたいして抱く感情を調べてみてごらん。悲しみ、後悔、同情……いまのおまえにとっては辛いものだろうが、けっして悪い感情ではない。悪い感情は一つも含まれていない。みんなおまえが成長していく上で、肥やしになっていくものばかりだ。なぜ大切な人の死はそんなふうに、わしらを善良な人間にしてくれるのだろう。それは死が生から厳しく切り離されていて、生の側からの働きかけを一切受けないからではないだろうかね。だから人の死は、わしらの人生の肥やしになることができるんじゃなかろうか」

「なんだか慰められてるみたいな気がする」

「いや、そういうわけじゃないんだ」祖父は苦笑しながら、「慰めてやりたいとこだが、それは無理だ。誰も朔太郎を慰めることなんてできんよ。自分で乗り越えるしかないことだからね」

「おじいちゃんはどうやって乗り越えたの?」

「逆の場合を考えることにしたんだ」祖父は遠くに目を細めるようにして話した。「もしわしの方が先に死んでいたらどうだったろうかってね。そうなっていたら、あの人はいまわしが感じているような悲しみを、わしの死にたいしてやっぱり感じなくてはならなかっただろう。墓を暴いて骨を手に入れるなんてことは、あの人には難しかったに違いない。

朔太郎のような理解のある孫がいたかどうかもわからんしな。そんなふうに考えると、わしがあとに残されることによって、彼女の悲しみを肩代わりすることができたとも言えるわけだ。あの人に余計な苦労をさせずに済んだ」

「骨はおじいちゃんが手に入れたしね」

祖父は神妙な顔になって、「朔太郎だってそうじゃないかね」と言った。「おまえはいま彼女のために苦しんでいる。彼女は死んで、もはや自分で自分の境遇を悲しむことさえできない。だからおまえが代わりに悲しんでいる。言ってみれば、彼女の身代わりに悲しんでいるわけだ。そうやって朔太郎は、彼女を生きはじめているんじゃないのかい」

祖父の言ったことについて考えてみた。

「やっぱり理屈って気がする」

「それでいいんだよ」祖父は穏やかに笑いながら、「考えるってのは、本来そういうことだ。これで充分だと考え尽くされることなんて、まずないと思っておいた方がいい。充分だと思っていても、しばらくすると不充分な気がしてくる。不充分なところは、また考えればいい。そのうち少しずつ、自分の考えていることに実感が伴ってくる。そういうものなんだよ」

ぼくたちは口を閉ざして、外の物音に耳を澄ませた。表は風が出てきているようだった。ときおり強い風が、ベランダの窓を引き剝がそうとするように揺さぶった。

「オーストラリアへ行っておいで」祖父はやさしく言った。「そして彼女と一緒に、砂漠やカンガルーを見ておいで」

「彼女の両親は、遺骨をオーストラリアで撒いてくるつもりみたいだ」

「まあ、いろいろな弔い方があるからな」

「彼女が元気だったとき、おじいちゃんと骨を盗みにいったことを話したんだ」

「そうかい」

「ぼくが預かってる骨を、二人で見たこともあるんだよ」

反応を窺うと、祖父はじっと腕組みをしたまま目を閉じている。

「気を悪くした？」

ゆっくり目をあけて微笑んだ。

「朔に預けたんだから、朔太郎が好きにするがいいのさ」

「おじいちゃんの好きだった人の骨を一緒に見たあとで、ぼくたちははじめてキスをしたんだ。なぜだかわからない。そういうつもりはなかったんだけど、自然とそういうことになってしまった」

祖父はしばらく黙っていた。それから、

「いい話だな」と言った。

「だけどその彼女も、いまでは骨になってしまったよ」

3

アボリジニに与えられたアウトバックは不毛の砂漠で、北部のテリトリーは断崖絶壁《だんがいぜっぺき》と灌木だらけの土地だった。ぼくたちの乗ったランドクルーザーは、土埃の立つ轍《わだち》の道を激しく揺れながら進んだ。川に沿って走りつづけると、石造りの電信中継所が見えてきた。そこから先は人家のない、緑のまばらな平原だった。畑にはメロンが植えられている。道路はどこまでも真っ直ぐに伸びている。街を出たところから舗装は途切れた。車の上げる凄まじい土煙で、後ろはほとんど見えない。やがて畑は姿を消し、道の両側は牛が群れる牧場になった。死んだ牛は草原のなかに放置されていた。暑さで膨張した死体には烏がたかっていた。

西部劇に出てくるような小さな街にいた。街は蒸し暑く、埃っぽかった。ガソリンスタンドの横にパブ風のレストランがあった。そこで休息を兼ねて食事をすることになった。入口のドアの近くで、数人の男たちがダーツに興じていた。暗い店のなかで、トラックの運転手や建設労働者たちが、ビールを飲みながらミート・パイを食べていた。みんなポパイのような腕に刺青《いれずみ》をしている。ショートパンツから突き出している毛むくじゃらの足は、ぼくの胴体くらいありそうだ。

「アキさんのアキって、白亜紀の亜紀なんですか」ぼくは隣に坐っているアキの母親にたずねた。

ぼんやりしていた彼女は驚いたように振り向き、「ええ、そう」とぎくしゃくした相槌を打った。

「主人が考えた名前なんだけど、それがどうかしたの？」

「季節の秋だと思ってたんです。知り合ってからずっと。手紙にはいつも片仮名でアキって書いてあったから」

「面倒くさがり屋なのよ、あの子」そう言って、母親は小さく笑った。「広瀬のヒロって、本当はこのヒロなの」

彼女は指で自分の掌に「廣」という字を書いた。

「名字と名前を漢字で書くと、けっこう画数が多くなるのね。だからあの子、下の名前は片仮名で済ますことにしたんだと思うわ。小学校のころからの習慣」

アキの父親は、ケアンズで雇った現地人のガイドとともに、カウンターの上に広げた地図に見入っていた。

「ここから南へ五十キロほど行ったところに、アボリジニの聖地があります」しばらく日本にいたことがあるというガイドの男は、流暢《りゅうちょう》な日本語で説明した。「立入禁止区域ですが、特別に許可証をもらっています」

「車で行けるのですか」アキの父親がたずねた。

「最後は少し歩くことになると思います」

「付いて行けるかしら」アキの母親が心配そうに話に加わった。

ガイドの男は曖昧に微笑んで、「お嬢さんの遺骨を撒きに行かれるのですか」と控えめにたずねた。

「おかしな子でしょう」母親が答えた。「亡くなる前にうわ言のようにして繰り返すんですよ。意識も混乱してたんでしょうけど、なんだか気になって。叶《かな》えてやらないと、わたしたちも心残りだから」

窓の外に目をやった。アカシアの木陰で、顎髭《あごひげ》をたくわえた中年のアボリジニが、茶色い紙袋のなかからワインを飲んでいた。その横をカウボーイハットをかぶった黒人の少年たちが、数人連れ立って歩いていった。オーストラリアまでやって来ても、アキが死んだという実感は得られなかった。どこかにいるような気がしてしまう。どこかで、ふとアキを見かけるような気がしてしまう。

店員が目の前に、巨大なハンバーガーと瓶入りのコーラを置いた。食欲なんてちっともないのに、物だけは食べつづけている自分が滑稽だった。

茶色の平原が、視野のかぎりに広がっていた。まとまった森はどこにもない。乾いた大地に、雑草が心細げにしがみついている。風化した丘の上に、ユーカリの木が数本かたまって生えていた。ところどころに火山の噴火によって吹き飛ばされてきたという、巨大な石が転がっていた。動物の姿はほとんど見かけない。昼間は岩蔭や穴のなかで休んでいるのだろう、とガイド役の男は言った。舗装された道はとっくに途切れ、車はときおり柔らかい赤土に足を取られそうになる。何度か、カンガルーの死体の横を通りすぎた。そのなかの一体は、すでに毛皮のようになって、赤い道路の端にへばりついていた。振り返ると、死体は土埃に隠れて見えなかった。

一時間ほど走りつづけるうちに、豊かな樹木を蓄えた森が忽然《こつぜん》と現れた。森の手前には小さな川が流れている。水は少なく、川底からは白っぽいユーカリの木が生えている。川岸に一台のキャンピングカーがとまり、そのまわりで二世帯くらいの白人の家族がバーベキューをしていた。ガイドの男が車を降りて、地面に坐ってビールを飲んでいる家族の方へ歩いていった。男が陽気な口調で何事かたずねると、彼らは焼き上がった肉を乗せた紙皿を手に持ったまま、川の方を指さした。

「この川の向こうだそうです」車に戻ってきた男は、運転席に坐っているアキの父親に言った。「誘導しますから」

男はキャラバンシューズを履いたまま川に入り、ランドクルーザーを足場のしっかりした浅瀬に導いた。白人の家族が珍しそうにこっちを見ている。車が川を渡り終えると、男は助手席に戻った。

「さあ、進みましょう」

薄暗い林のなかを、砂地の道がつづいていた。心細い明るさを注意深く踏みしめるようにして、アキの父親はゆっくり車を進めた。木々のあいだがわずかに透けて、蒼白《あおじろ》く暮れ残った空が顔を覗かせていた。その光が、地面の砂の上に仄《ほの》かに落ちている。

「ドリーミングってのが、わたしにはまだよくわからないんですがね」運転をしているアキの父親がたずねた。

「ドリーミングには幾つかの意味があります」ガイドの男は答えた。「一つはある部族の神話上の祖先です。たとえばワラビーというドリーミングを持っている部族にとって、ワラビーとは自分たちの部族の始祖なのです」

「ワラビーって、動物の?」アキの母親が口を挟んだ。

「いいえ、この場合のワラビーはドリーミングとしてのワラビー、彼らの神話的な祖先のことです。この祖先が、動物のワラビーと彼らを創造したのです。彼らと動物のワラビーは、ともに始祖ワラビーの末裔《まつえい》ということになります」

「つまりワラビー族と動物のワラビーは兄弟?」

「ええ。だからワラビー族の人々が動物のワラビーを殺して食べることは、兄弟を食べることになるのです」

「面白いなあ」父親が感心したように言った。「トーテミズムってのは、そういうことなんだ」

「他に各自に固有のドリーミングがありますか」ガイドの男がつづけた。

「それはどういうもの?」父親がたずねた。

「その人が生まれるときに、お母さんの見たもの、お母さんが夢で見た動物や植物が、彼と魂を共有する存在となるのです。それらのドリーミングは、けっして公にされることはありません。その人個人の秘密として、信仰の対象にされます」

「つまり部族のドリーミングと、個人に固有のドリーミングがあるわけだね」

「そういうことです」

短い時間のあいだに、一つ一つの物の姿は確実に見分けにくくなっていった。視界は奥行きを失い、というよりも遠近感そのものを失い、遠くにあるはずのものが近くに、近くにあるはずのものがたどり着けないように遠く感じられた。

「アボリジニは遺体を二回埋葬すると言われています」ガイドの男は話しつづけた。「最初は普通に土に埋葬します。これが一回目の埋葬です。それから二、三ヵ月経ったころ、遺体を掘り出し、骨を拾い集め、死者が生きていたときと同じように、すべての骨を、爪先から頭まで樹皮の上に並べるのです。それをくり抜いた丸太のなかに収めるのが、二回目の埋葬です」

「どうしてそんなことをするのかしら」アキの母親がたずねた。

「一回目の埋葬は肉体のためのもので、二回目は骨のためと考えられています」

「なるほど、道理だ」と父親が言った。

「やがて骨は雨に洗われ、大地に戻ります。死者の身体に宿った血と汗は、すべて大地にしみ込み、地中の神聖な泉へと向かいます。それを追って、死者の魂も泉へ向かい、そこで精霊となって暮らすと考えられているのです」

木々がますます密集の度合いを強め、これ以上進むのは難しくなったところで、ぼくたちは車から降りた。いつのまにか林は灌木の藪に変わり、ひょろひょろ曲がった細い枝が、前後左右に錯綜《さくそう》して不思議な景観を生み出していた。そのなかを獣道ほどの細い道がつづいている。聞こえるのは自分たちの足音だけだ。ときおり近くの茂みで何か動いたが、生き物の姿を見ることはなかった。

鋭い刺《とげ》をもつ植物が、巨大な針鼠のように繁っている場所を過ぎたところで、白茶けた草原に出た。ここまで来ると、目印になるものは何もない。こんもり繁ったユーカリの群生があるほかは、見渡すかぎりの乾いた草原だった。誰も口をきかなかった。いつまでも空が明るいので、何時間も歩きつづけているような気がするが、実際は三十分くらいのものだったかもしれない。乾燥した空気のなかで、唇はひび割れかけていた。咽喉も渇いていた。冷たい水を飲みたいと思ったが、一方で、自分の咽喉の渇きを他人事《ひとごと》のように感じてもいた。

やがて足元は、砂と岩ばかりの荒れ地になった。巨大な丸石の傍らに、蘇鉄のような植物が生えている。茶色の大きな鳥が、空高く舞っている。やや急なガレ場をよじ登ると、数本の木の生えた高台だった。木はどれも葉を落とし、灰色の樹皮には老婆のような皺が寄っている。ホーホーと名の知れぬ鳥が鳴いていた。乾いた石の上を、一匹のトカゲが這っていた。

「ここでいいでしょう」ガイドの男は言った。

「ここがそうなの?」アキの母親がどこか物足りなそうにたずねた。

「このあたりが全部そうです」

「それじゃあ撒こうか」父親が言った。

「あなた、撒いて」母親は夫に壺を差し出した。

「三人で分担して撒こう」

ぼくの掌に、ひんやりとした白っぽい粉があった。それがなんであるのか、ぼくには理解できなかった。頭では理解できても、感情がその理解を拒んだ。受け入れると壊れてしまいそうだった。凍りついた花びらを指先で弾くようにして、心が粉々に砕けてしまいそうだった。

「さようなら、アキ」母親の声がした。

白い灰のようなものが、両親の手から放たれた。それは風に乗って飛び散り、赤い砂漠に散らばった。アキの母親は泣いていた。父親が彼女の肩を抱き、二人はもと来た道を、ゆっくり引き返しはじめた。ぼくは動けなかった。赤い砂の大地に飛んでいったものを、まるで自分のかけらのように感じた。もう二度と拾い集めることのできない、ぼく自身のように。

「行こうか」ガイドの男が促した。「すぐに夜になってしまうよ。砂漠の夜は、それは厳しいものだから」

4

オーストラリアから帰ってきたころには、季節はすでに春に向かって動きはじめていた。学年末テストが終わると、授業はペナントレースの消化試合のようになる。ぼくは学校への行き帰り、あるいは退屈な授業の合間に、何度となく空を見上げるようになった。ときには長い時間、ぼんやり空を眺めて過ごした。そして「あそこにいるのだろうか」と考えた。冷たい冬の光の名残りにも、春の柔らかな日差しにも、空からやって来るものすべてのなかに、アキの存在が感じ取れるような気がした。折々に空を眺めていると、雲はどこからともなくやって来て、ぼくの上を通り過ぎていった。雲が行き来するたびに、季節は少しずつ移り変わっていった。

三月半ばの暖かな日曜日、大木に頼んで島へ連れていってもらった。事情を話すと、大木は舟を出すことを快く引き受けてくれた。桟橋に舟をつけてから、一人で海岸を歩いてみた。大木は桟橋で待っていると言った。三月の海岸は、まだ水が冷たく澄んでいた。穏やかな日差しが、石ころを洗う波を輝かせた。波打ち際から水中を覗き込むと、海岸の石と同じような色をした蟹《かに》が、浅瀬を這って沖の方へ逃げていった。石と石のあいだから鮮やかな色の触手を伸ばしているイソギンチャク、少し大きな石に付いた白っぽい巻き貝。なぜか小さなものばかりが目につくようだった。

波の来ない海岸の奥まったところに、昼顔のようなピンク色の花がたくさん咲いていた。その上を一匹のモンシロチョウが飛んでいた。去年の夏に来たとき、ホテルの裏庭でアゲハチョウを見たことを思い出した。それが呼び水になって、あの夜の出来事が、眩しい光の粒のように頭のなかを駆けめぐった。どんな小さな思い出も懐かしく、一つ一つがきらきら輝いて、実際に起こったことのような気がしなかった。

海岸から少し段になって、背後の崖につづく土手のところに、古い石の地蔵があった。誰がなんのために祀ったのかわからない。昔、海難事故にでも遭った者がいたのだろうか。祠《ほこら》も何もなくて、雨風に晒されるままになっている。もちろん花や硬貨が供えられているわけでもない。海から吹き上げてくる潮風が石の風化を早めるのだろうか、地蔵の顔には、目も唇も残っていなかった。ただ鼻梁の部分だけが、顔の中央でかすかに盛り上がっているばかりだ。顔の目鼻だちがはっきりしないぶん、地蔵はかえってやさしい感じを与えた。

地蔵のそばの乾いた砂利に腰を下ろして、穏やかに凪いだ海を眺めた。絵筆で水平に掃いたような青のあいだで、無数の光が明滅していた。左手から海に突き出した岬の緑は柔らかな太陽を浴び、群生した松の枝の一本一本までがはっきり見えるような気がした。一人で見るのがもったいないくらい、美しい景色だった。この景色をアキと二人で見ることができたらと思った。そんなふうに叶えられないことばかり望んで、毎日を生きているような気がした。

小さく名前を呼んでみた。ぼくの唇は世界中の誰よりも、彼女の名前を呼ぶのに相応《ふさわ》しい形になっている。しかし顔を思い浮かべるのには、やや時間がかかった。この時間が、少しずつ長くなってきているような気がする。いずれ彼女の顔を思い出すために、古いアルバムのなかから一枚の写真を捜し出すくらいの努力が必要になるかもしれない。そのことに、小さな懸念を覚えた。目鼻だちを失った海辺の地蔵のように、アキの思い出もまた風化しつつあるのだろうか。そして長い時間を経て、最後には名前だけが残るのだろうか。季節の名と誤解して呼びつづけた、彼女の名前だけが。

砂利の上に寝ころがって目を閉じた。瞼の裏側が真っ赤だった。去年の夏、この海で泳いだときも、やっぱり真っ赤だった。あのときと同じように、自分のなかを赤い血が流れているのだと思うと、不思議な気がした。

そのまま眠り込んでしまったらしい。名前を呼ばれて目をあけると、大木が怪訝そうな顔で覗き込んでいた。

「どうしたんだ」起き上がって言った。

「それはこっちの台詞だ」と彼は言った。「いつまでも帰ってこないから、心配して捜しにきたんじゃないか」

大木はぼくの横に腰を下ろした。二人で黙って海を眺めた。沖の方から吹いてくる風が、豊かな潮の匂いを運んできた。空を見上げると、太陽は左手の岬をまわって、ほぼ正面の海上にある。

「いまでも彼女がいるような気がしてしまうんだ」ぼくは言った。「ここにも、あそこにも。ぼくがいるところには、どこにだって彼女はいるような気がしてしまう。錯覚だと思うか?」

「さあ……どうかな」大木は困ったように語尾を濁した。

「きっと他人から見ると錯覚なんだろうな」

二人とも口を噤んで、海を眺めつづけた。大木は手元の小石を海へ向かって放った。それを何度か繰り返した。

「空を飛んでいる夢を見たことがあるかい」しばらくしてぼくはたずねた。

彼は要領を得ない顔で振り向いて、「飛行機か何かに乗って飛んでるのか」とたずね返した。

「いや、ウルトラマンみたいに、こうやって自分が空を飛んでるんだ」

「まあ、夢だからな」ようやく笑って、「おまえがどんな夢を見ようと、それはおまえの勝手だ」

「大木はそういう夢を見ないか、現実ではありえないような夢を」

「見ないと思うな」

彼はまた小さな石を拾い、海に向けて投げた。石は硬い音をたてて波打ち際で跳ね、水のなかに落ちた。

「空を飛んでる夢がどうしたんだよ」やがて催促するように言った。

「自分が身体一つで空を飛ぶなんて、現実にはありえないだろう」ぼくは話のつづきに戻った。「理論的に、そういうことはありえないわけだろう」

「まあな」彼は用心深く頷いた。

「ところが夢のなかで、たしかに空を飛んでいるんだ。現実にはありえないことだ。でも夢を見ているあいだは、そうは思わない。空を飛びながら、これは非合理的な夢だなんて思わない。たとえそう思っても、空を飛んでいるという事態はつづいている。実際に空から街やなんかを眺めているわけだし、空を飛んでいるというリアルな感覚もある。だからそれは錯覚じゃない」

「でも夢だ」途中で大木が口を挟んだ。

「そう夢だ」あっさり認めた。

「何が言いたいんだよ」

「彼女は死んだ。身体は焼かれて骨になった。その骨を、ぼくはこの手で、赤い砂漠に撒いてきた。にもかかわらず、彼女はいるんだよ。いるとしか思えない。錯覚なんかじゃない。どうしようもない感覚なんだ。夢のなかで自分が空を飛んでいることを否定できないように、彼女がいることを否定できない。たとえ証明できなくても、彼女がいると、ぼくが感じていることは事実なんだ」

話し終えると、大木は痛ましげにこちらを見ていた。

「ぼくは夢を見ているんだろうか」


桟橋へ引き返す途中、波打ち際できらきら光る石を見つけた。つまみ上げてみると、それは石ではなく、波に洗われて、すっかり角の取れたガラスだった。ガラス片は水のなかで緑色の宝石のように見えた。ぼくはそれをジャンパーのポケットに入れた。

「ホテルには行ってみなくていいのか」桟橋が見えてきたところで、彼はたずねた。「思い出の場所なんだろう」

一瞬、胸のなかが冷たく固まるような気がした。ぼくは答えずに、ただ深く息を吐いた。大木はそれ以上、何も言わなかった。

ジャンパーのポケットから、透明なガラスの小瓶を取り出した。なかには白っぽい砂のようなものが入っている。

「彼女を焼いた灰だよ」

「撒くのか」大木は不安そうにたずねた。

「どうしようかな」

島へ来る前は、海にアキの灰を撒くつもりだった。大木にもそう言って舟を出してもらった。でも……。

「なんか、もったいないような気もするな。持っていたからといって、どうなるもんでもないいんだけどさ」

「そういうときは持っといた方がいいよ」大木は気づかわしげに言った。「撒いてしまったあとで後悔したってしょうがないんだからさ。気持ちの整理がついて、撒きたくなったときに撒けばいいよ。そのときはおれがまたここへ連れてきてやるから」

引き潮のために、舟は橋桁《はしげた》のずいぶん下の方になっている。海は穏やかで、泣きたくなるほど青かった。

「広瀬の歌って、おまえ聴いたことあるか」しばらくして大木が唐突にそんなことを言いだした。「中学の音楽の時間に、歌のテストとかあっただろう。『若い力』とか『贈る言葉』とか、うざったい歌をいっぱいうたわされたじゃない。そういうときの広瀬の声って、ちっちゃくて全然聞こえなかったんだよな。おれなんか前の方の席に坐ってたけど、何うたってんのかわかんなかったもん」

「途中で誰かが、聞こえませんて怒鳴ったことがあったよな」

「そうそう。それで彼女の声はますます小さくなって、可哀相なくらい顔を真っ赤にして、下を向いたまま最後までうたったんだ」

「よく覚えてるじゃない」

「あっ?　そんなんじゃないよ」大木はちょっとうろたえて、「おれは別に彼女のことを好きだったわけじゃないから。いや、好きは好きだけど、そういう松本みたいなのとは違うから」

ぼくもまたアキの歌のことを考えていた。学校の歌のテストとは別の場面だった。島のホテルに泊まった夜、二人で夕食の支度をしているときに、途中で必要になったものがあり、三階の部屋へ取りにいった。戻ってみると、アキは野菜か何かを刻みながら、小さな声で歌をうたっていた。厨房の入口に足を止めて、彼女の歌声に耳を澄ませた。たしかに声は小さくて、歌詞はおろかメロディさえ聞き取れないほどだったが、アキは気持ち良さそうにうたっていた。家で料理を作るときなど、きっとこんなふうに歌をうたうことがあるのだろうと思った。声をかけると、そこでおしまいになってしまう。ぼくは厨房の入口に佇《たたず》んだまま、彼女の歌に耳を傾けつづけた。

「やっぱりこれは持っておくことにするよ」

小瓶をポケットにしまって立ち上がった。

「そうか」大木はややほっとしたように頷いた。

ポケットのなかで、ひんやりとしたものが手に触れた。取り出してみると、先ほど海岸で拾ったガラス片だった。外気に触れたせいか、表面が曇って白っぽくなっている。水のなかでは宝石のように美しかったのに、いまはただのガラスの塊だった。ぼくはそれを海に向かって思い切り放った。ガラスは空中できれいな弧を描き、小さな音をたてて海面に落ちた。

「帰ろうか、色男」大木が後ろから声をかけた。

色男は振り向いた。

「たのんだよ、おまいさん」

第五章

城山の緑はまだ若かった。天守閣は改修工事を施されて、塗り壁の色が白く際立っている。北門から本丸へつづく登山道を歩いてくるとき、かつては鬱蒼《うっそう》と繁っていた途中の林が切り開かれて、真新しい民俗博物館のようなものが建っているのに気づいた。

本丸からは街の全景が見渡せる。東は山で西は海だ。この十年ほどのあいだに進んだ埋め立て工事のために、湾は街に侵食されて、いまでは海はずいぶん小さくなったように感じられた。

「景色のいいところね」と彼女は言った。

「何もない街だから」思わず言い訳するような口調になった。「人を連れてきても、見せるところがなくて困るよ」

「どこの街も、そんなに名所旧跡ばかりじゃないわ。それにお寺が面白かった。亡くなったお祖父《じい》さんにもお会いしてみたかったな」

「きみとは気が合ったかもしれない」

「そう?」

言葉が途切れて、どちらからともなく湾の景色に目をやった。海を取り囲む岬や島のところどころに、山桜が淡いピンクの花をつけていた。

「作り話じゃないかって、半分くらいは疑ってたの」やがて彼女は打ち明けるように言った。「だってあまり出来すぎてるし、ロマンチックすぎるから。でも今日、実際にお墓を見て、ここがそうだよって言われると、やっぱり信じるしかないわね」

「手の込んだ作り話かもしれないよ」

彼女は少し考えてから、「そうね」と悪戯っぽい目を上げた。

「百パーセント信じてしまうのは危険かもしれない。あなたにかんすることはなんでも」

「ときどき自分でも、夢なのか現実なのかわからなくなることがある。過去の出来事が実際に起こったことなのかどうか。昔よく知っていた人でも、死んで長い時間が経つと、もともとそんな人はこの世にいなかったような気がしてくるんだ」

南側の登山道には、北側ほど開発の手は入っていなかった。あいかわらず道は細く険しくて、登山者ともほとんどすれ違わない。苔の生えた石段も、剝《む》き出しの赤土も、昔のままだった。しばらく下っていくうちに、灌木が生い茂ったなかに目当てのものを見つけた。

「どうしたの?」

「アジサイ」

彼女は一瞥《いちべつ》して、「アジサイがそんなに珍しいの?」と言いたげに振り向いた。

「花はまだずっと先だな」軽く言い捨てて、再び歩きはじめた。何かが心の奥で小さく震えていた。しばらく行ってから、

「このあたりはあまり変わってないようだ」

「よく来てたの」彼女はたずねた。

「いや、一度だけ」

とうとう笑いだした。

「だっていつも来ていたようなことを言うから」

「何度も来た気がするけど、たった一度だけなんだ」

帰り道に車を中学校の方へ向けた。校門の花壇にビオラが植わっていた。もう三月も終わりだった。

「ぼくが卒業した中学」車のなかから言葉少なに説明した。

「へえ」彼女は窓を下ろして、「ちょっと入ってみましょうよ」と言った。

久しぶりに見る校舎は、薄汚れていて見すぼらしかった。雨に黒ずんだブロック塀は、少し道の方へ傾いている。春休みのせいか、それとも夕暮れに近い時間のせいなのか、校内はひっそりとしていた。いつもは通りかかるたびに、野球部やサッカー部が練習をしているグラウンドにも、いまは人影がない。

通用門からなかに入った。

「なんだか寂れちゃったな」呟きが遠い心地になった。

「中学校なんて何年ぶりかしら」彼女は華やいだ声を上げて、遊具の方へ小走りに駆けていった。

取り残される恰好になった。ここに二人で通ったのだ、と胸のなかで言葉にしてみた。ここでアキと出会った……もう何十年も昔のことのような気がする。時間を超えて、遠い世界の出来事にも思える。今浦島の気分であたりに目をやると、校庭に植えられた桜が満開だった。あのころは桜の花など、まともに見たことはなかった。桜が植えられていることにすら、おそらく気づかずに卒業したはずだ。それなのにいまは、こんなにも美しい桜並木だった。

そのとき胸の奥底に、針でつついたほどの小さな穴があいた。それはブラックホールのように、一瞬にしてすべてを呑み込んでしまった。まわりの風景も流れた時間も。あれほど遠いと思っていた過去に吸い込まれるようにして、不意にアキの声が甦った。

「掃除の時間に、教室の机を拭くのって好きだったな。掃除しながら机の落書きを読んでいくの。何年も前に卒業した人の残した古い落書きがあったり、相合い傘にナイフで好きな人の名前が彫ってあったり。なかには消してしまいたくないのもあって……」

耳のすぐそばで、彼女は喋っていた。懐かしい、あのはにかむような声で。やさしい心はどこへ行ったのだろう。アキという一人の人間のなかに包み込まれていた美しいもの、善いもの、繊細なものは、どこへ行ってしまったのだろう。夜の雪原を走る列車のように、明るく光る星の下を、いまも走りつづけているのだろうか。どこへとも行方を定めずに。この世界の基準では測れない方位に沿って。

あるいはいつか、ここへ戻ってくることがあるのだろうか。ずっと以前になくしたものが、ある朝ふと、もと置いた場所に見つかることがある。きれいな、昔あったままの姿で。なくしたときよりも、かえって新しく見えたりする。まるで誰か知らない人が、大切にしまってくれていたかのように。そんなふうにして、彼女の心はまたここへ戻ってくるのだろうか。

上着のポケットから、ガラスの小瓶を取り出した。生きているかぎり、肌身離さずに持っているつもりだった。でも、そんな必要は、きっとないのだろう。この世界には、はじまりと終わりがある。その両端にアキがいる。それだけで充分な気がした。

グラウンドの隅に目をやると、懸命に登り棒に挑戦している若い女の姿があった。スカートをはいた両脚で棒を挟み、左右の手を交互に手繰っては、少しずつ身体を上に持ち上げていく。日はすでに暗く、こうして見ているうちにも、彼女の姿はグラウンドの遊具とともに闇に紛れてしまいそうだ。いつかここからアキを見ていた。夕暮れの光のなか、校庭の隅の登り棒をよじ登っていく彼女を……しかしそれが確かな記憶であるのかどうか、もうわからなかった。

風が吹いて、桜の花びらが散った。花びらは足元まで飛んできた。あらためて掌にあるガラス瓶に目をやった。小さな懸念が胸をよぎった。後悔しないだろうか？　するかもしれない。でもいまは、この美しい桜吹雪だ。

ゆっくり瓶の蓋をまわした。そこから先は、もう考えなかった。瓶の口を空に向け、腕をいっぱいに伸ばして大きな弧を描いた。白っぽい灰が、沫雪《あわゆき》のように夕暮れの空を舞った。また風が吹いた。桜の花びらが散り、その花びらに紛れて、アキの灰はすぐに見えなくなった。

装　幀：柳澤健祐
カバー写真：川内倫子

山恭一（かたやま・きょういち）
59年愛媛県生まれ。福岡県在住。九州大学卒業後、
86年『気配』で『文學界』新人賞を受賞しデビュー。主
作品に『きみの知らないところで世界は動く』（新潮社刊、
プラ社より復刊）、『ジョン・レノンを信じるな』（角川書
刊）、『満月の夜、モビイ・ディックが』（小社刊）、『空の
ンズ』（ポプラ社刊）がある。最新刊は『もしも私が、そこ
いるならば』（小社刊）。

売　新里健太郎
伝　庄野　樹
作　山崎法一
集　石川和男

世界の中心で、愛をさけぶ
2001年4月20日初版第一刷発行
2004年4月1日　　第二十四刷発行
著　者　片山恭一
発行者　佐藤正治
発行所　株式会社小学館
〒101-8001 東京都千代田区一ツ橋2-3-1
電　話　編集 03-3230-5720
制作 03-3230-5333
販売 03-5281-3555
振替 00180-1-200
印刷所　文唱堂印刷株式会社

ISBN4-09-386072-6